[manual prático de bons modos em livrarias]

lilian dorea

[manual prático de bons modos em livrarias]

ilustrações
diogo machado

SEOMAN

Copyright © 2013 Lilian Dorea

Texto de acordo com as novas regras ortográficas da língua portuguesa.

1ª edição 2013.

Todos os direitos reservados. Nenhuma parte deste livro pode ser reproduzida ou usada de qualquer forma ou por qualquer meio, eletrônico ou mecânico, inclusive fotocópias, gravações ou sistema de armazenamento em banco de dados, sem permissão por escrito, exceto nos casos de trechos curtos citados em resenhas críticas ou artigos de revistas.

A Editora Seoman não se responsabiliza por eventuais mudanças ocorridas nos endereços convencionais ou eletrônicos citados neste livro.

Coordenação editorial: Manoel Lauand

Projeto gráfico: Gabriela Guenther / Estúdio Sambaqui

CIP-BRASIL. CATALOGAÇÃO NA PUBLICAÇÃO
SINDICATO NACIONAL DOS EDITORES DE LIVROS, RJ

P985m
   Dorea, Lilian
      Manual prático de bons modos em livrarias / Dorea, Lilian ;
ilustração Diogo Machado. - 1. ed. - São Paulo : Seoman, 2013.
     232 p. : il. ; 17 cm

     ISBN 978-85-98903-71-2

     1. Crônica brasileira. I. Título.
13-02338   CDD: 869.98
                                  CDU: 821.134.3(81)-8

Seoman é um selo editorial da Pensamento-Cultrix.

EDITORA PENSAMENTO-CULTRIX LTDA.
R. Dr. Mário Vicente, 368 – 04270-000 – São Paulo, SP
Fone: (11) 2066-9000 – Fax: (11) 2066-9008
E-mail: atendimento@editoraseoman.com.br
http://www.editoraseoman.com.br
Foi feito o depósito legal.

*Ao meu amigo de fé cega e
faca amolada Pedro Sampaio.*

sumário

I. Apresentação   *9*

II. Introdução   *13*

Parte I – Manual Super Prático de Bons Modos em Livrarias   *17*

1. O que você deve saber ao entrar em uma livraria   *19*

2. Ao entrar em uma livraria, você deve evitar   *22*

3. Perguntas que jamais devem ser feitas em uma livraria   *24*

Parte II – Causos e Delírios Livrescos   *27*

1. Misturado e Tudo Junto   *27*

     1.1 E você, já comprou o seu *Vade Mecum* hoje?   *66*

     1.2 Causos de Bolso   *68*

2. Diálogos Surreais – Ensaios Sobre a (não) Lucidez   *89*

2.1 Alô, Mirtes 151

2.2 Lista de Compras 163

Parte III – Freguesia 165

1. Tipos de Fregueses 165

2. A Vez do Freguês 174

3. Manual do Bom Livreiro 185

Parte IV – Curiosidades livrescas 190

1. Dúvidas da freguesia 190

2. Dois cafés, dois amores compartilhados
e a conta, por favor 193

Parte V – Serviço 203

1. Endereços de sebos e livrarias 203

2. Sites e blogs dedicados a livros 216

3. The books are on the books 222

Agradecimentos 229

Historinhas *hillárias*

Um amigo me telefonou para contar, a euforia escancarada: "Acabei de ver seu nome no blog que acho o mais sensacional".

Nem precisei perguntar qual. Eu mesma me vira naqueles dias, suprema deferência, nos créditos de um link compartilhado pelo [manual prático de bons modos em livrarias] que à época já lia sem parar.

Lia e leio sem parar: quando pulo uns dias, logo recupero os posts perdidos e visito os preferidos no histórico.

Não só eu e meu amigo lemos sem parar. Os que gostam de livros e estão na rede começaram a descobrir aí, por meados de 2011, as desventuras cômicas da vendedora de codinome Hillé, com milhares de acessos diários e quase 25 mil fãs, só no Facebook, enquanto escrevo estas linhas. Uma gente que concentra, em parte bem central do cérebro, portento estoque de memória literária.

O engraçado na vez em que apareci no blog de Hillé é que não se haviam passado mais que seis meses desde o dia em que noticiara seu aparecimento também num blog, o que eu editava num grande jornal do país, o mesmo onde publiquei depois o link que ela compartilharia.

Mais que notícia, Hillé se tornava veículo, e, agora, um livro.

Eu me pergunto como seria se Lilian Dorea estivesse numa agência de viagem, farmácia, academia de ginástica ou secos & molhados como os de antigamente. Alguém duvida de que seriam igualmente cômicas as desventuras tendo de lidar, dia e noite, com tão variada e confusa clientela?

Não duvido: estando em qualquer estabelecimento, com seu, esse sim intransferível, jeito de ver e contar, extrairia historinhas assim, *hillárias,* com os dois "l" que carrega no codinome e no nome verdadeiro, duplicada a benfazeja letra"l" de livro e leitor.

Para sorte nossa, os de memória literária, Lilian está numa livraria e, assim, pode registrar o que lemos tão assiduamente em seu blog.

É também para sorte dos que ainda confundem Clarice com Chico Xavier que Hillé está numa livraria e gentilmente se dispôs a preparar essas instruções gerais, guia de comportamento, imprescindível tábua-de-leis.

Com um manual-livro como esse, qualquer incauto faz bonito – vamos torcer para que, ao procurá-lo, não se erre de prateleira.

Joselia Aguiar

introdução

Fernando Pessoa declarou que "tudo vale a pena quando a alma não é pequena". Sendo assim, acredito que uma série de impulsos desencadearam no Manual Prático de Bons Modos em Livrarias, aquele blog com o qual me deparei lá para julho de 2011, instigada pelo convite de um amigo (livreiro fiel e irmão camarada), sob o prévio aviso de que, talvez, eu me engasgasse de rir com os absurdos ali contidos. Dito e feito: todos aqueles nomes confusos de autores estrangeiros, Saramago na estante de literatura nacional, títulos trocados, obras reconhecidas pela capa de cor roxa. Enfim, eu não sabia que havia um mundo confuso dentro das livrarias, mas imaginei a situação dessa moça que escolheu travestir-se de personagem de Hilda Hilst para criar esse universo que desmistifica tudo aquilo que a livraria representava até então: um lugar tranquilo, com pessoas civilizadas e intelectualmente privilegiadas. Só que não.

Como uma repórter infiltrada em campo perigoso, Hillé tomou o caminho contrário dos talentos massificados da internet, pois deixou que o trabalho virasse diversão. Afinal, como tentar compreender as pessoas que desejam morar em uma livraria sem dar em troca o que realmente acontece no cotidiano de quem passa a maior parte do tempo dentro desse ambiente? Não existe uma tentativa de "destruir sonhos" – pelo contrário – necessário é alimentá-los com a realidade que o local apresentará.

Em pouco mais de dois anos, a autora do Manual deixou claro que o trabalho de um livreiro é muito mais do que ouvir absurdos e impropérios dos mais variados, que provocam risos intermináveis e beiram ao agressivo, às vezes. Ser livreiro é, também, carregar peso tirando os livros do estoque e economizar na academia; ter a consciência de que, nessa atividade, talvez você passe a ler menos do que quando vivia em casa sem fazer nada o dia inteiro; deixar de acreditar que é possível passar todo o expediente lendo enquanto o circo pega fogo no setor infantil. Isso para citar alguns exemplos que fui aprendendo em meus quase dois anos de livraria, porque, impulsionada pela criação literária da Hillé (que considero uma mãe), acabei entrando e ficando naquilo que defino como "emprego dos sonhos", sem ironia. Pois é como ela mesma dá a dica: "basta amar e entregar o seu currículo no balcão de atendimento".

Hillé criou asas e tornou-se destaque em alguns dos principais veículos de comunicação deste país, logo no início do blog. Acompanhei as notas referentes ao Manual em jornais, sites e blogs de editoras. Ganhou página de rede social (ela diz que é "comunidade *hippie*"). A cada atualização, esse espaço é assunto em meu ambiente de trabalho, faz parte da nossa rotina. E o bacana é que o consumidor também se identifica com esses causos. Afinal, quem nunca teve o disparate de questionar o ser humano de avental vermelho ou crachá laranja com aquela velha pegunta que sou obrigada a ouvir todos os dias: "Você trabalha aqui?".

Pode não ser uma ideia original, pois o imaginário coletivo está aqui para isso. No entanto, as lições do Manual servem, na realidade, não para corrigir imediatamente os equívocos da clientela, mas para interagir e apontar, de maneira fascinante e sincera, sobre o quão humanos somos, pois errar é o verbo que faz par com o fato de sermos gente e, se você não quiser filosofar muito em torno do assunto, basta saber que essa obra-prima vai além das regras de convivência estabelecidas por uma vendedora de livros, pois o Manual segue a base da literatura: não serve para nada, só para distração. Mas quem disse que a literatura não é profissão?

Nina Vieira

Parte I

Manual Super Prático de Bons Modos em Livrarias

"Oi, vende livros aqui?" A primeira vez que ouvi essa indagação de um freguês, tendo pilhas com os mais variados títulos de livros e mais de duas dúzias de estantes espalhadas ao meu redor, pensei que pudesse ser algum tipo de brincadeira de mau gosto. Não, não era. O delírio era real e carecia de uma resposta: "Sim, meu senhor, vendemos. Fritas acompanha?".

Da segunda vez, sem acreditar que aquela cena estava se repetindo, prestes a ter um derrame, não resisti: "Não, não vendemos os livros, vendemos os móveis da livraria". Tenho a impressão de que, se eu não tivesse desmentido, o freguês teria levado a poltrona mais confortável até o caixa. Com o passar do tempo, percebi que o "Oi, vende livros aqui?" seria só uma das centenas de perguntas inusitadas que eu iria responder durante o meu dia a dia como livreira. Percebi, também, que responder a essas perguntas não seria nada, perto do comportamento de alguns fregueses no meu local de trabalho.

Na tentativa de aprimorar os bons modos da freguesia (amamos o jeitinho de vocês, mas vamos melhorar só um pouquinho) e, principalmente, visando cultivar a sanidade mental dos meus colegas de profissão, preparei com a ajuda dos fiéis leitores do blog um pequeno manual introdutório divido em:

1. o que você deve saber ao entrar em uma livraria;

2. coisas que você não deve fazer em uma livraria;

3. perguntas que jamais devem ser feitas a um livreiro.

Pelo bem da nossa relação, freguês, dê cá a sua mão e venha comigo. No caminho eu explico. Ou não.

1. O QUE VOCÊ DEVE SABER AO ENTRAR EM UMA LIVRARIA:

- Antes de qualquer coisa, é importante saber que está sendo monitorado e que qualquer bobagem que disser poderá aparecer num certo blog livresco;
- "Bom dia", "Boa tarde", "Boa Noite", "Por favor" e "Obrigado" não caíram com a nova reforma orto-gráfica e o uso dessas expressões são permitidas e admiradas em uma livraria;
- Por mais que vocês insistam, livrarias não comer-cializam: talão de zona azul, recarga para celular, capa protetora para computadores, bilhete para transporte público, título de capitalização, ficha para orelhão (em que ano estamos?), cartucho de impressora, guardanapo para bordar, pilhas e

baterias, tomadas, aspirador de pó, aparelho de som para carro, forma de bolo, pincel para barbear, espada, palitinhos de sorvete, bandeirinhas da Dinamarca, aparelho nasal, papel de carta, remédio para dor de cabeça, preservativo, gelo seco ou moedas estrangeiras antigas;

- Pode parecer confuso, só que não, mas livrarias comercializam livros. Algumas também trabalham com CDs, DVDs, mochilas, artigos de papelaria e, acreditem, pinguins (está permitido o uso da expressão "nhóm" neste item);

- Livro é um grande bloco de papel com um monte de coisa escrita. Se as coisas fazem sentido ou não, fica por conta dos autores É necessário também saber que livro tem preço. Sim, preço. Nem sempre um livro vai custar aquilo que o freguês quer pagar, e isso fica por conta do dono da livraria, não do livreiro;

- *E-books* são livros eletrônicos, logo, não é possível (tampouco lógico) ter uma estante física na livraria para guardá-los;

- Quem trabalha no atendimento da livraria é conhecido e reconhecido como livreiro, não como vidente, adivinho ou santo Google (aquele que tudo responde);

- Sim, aquela pessoa com o crachá, avental ou uniforme, que está sempre de cabelos em pé, trabalha lá;
- É fundamental, ao comprar um livro, saber as teorias básicas de neurolinguística, os conceitos fundamentais de *magnetoimpedância* e uma bagagem considerável de teoria *variacionista*. Caso não possua nada disso, nós, livreiros, ficamos felizes se você souber só o nome do autor ou do livro que deseja comprar;
- Ter qualquer informação do livro que você está à procura é regra básica. Não, só saber uma palavra do título ou a cor da capa não nos ajuda. Sim, existem muitos livros com a capa vermelha e muitos outros com a capa preta;
- Você pode não entender, você pode não acreditar, mas toda livraria tem uma ordem de arrumação. Sim, os livros não são guardados de forma aleatória e ficamos bem chateados quando alguém coloca um livro de medicina na estante de culinária;
- É impossível que alguém conheça ou tenha lido todos os livros que já foram publicados no mundo, mesmo sendo livreiro. Portanto, não é nada simpático fazer cara feia quando o atendente disser que nunca ouviu falar de determinada obra;

- Por fim, freguesia, vocês devem compreender que a livraria é como o sistema solar, um universo e, por vezes, algo pode escapar ao livreiro. Mas, ainda assim, o sujeito fará de tudo, atravessará galáxias distantes só para conseguir o seu tão sonhado livro.

2. AO ENTRAR EM UMA LIVRARIA, VOCÊ DEVE EVITAR:

- Ter comportamentos que coloquem em risco a sanidade mental do livreiro;
- Falar alto e gritar coisas como "Não tem ninguém para me ajudar?" ou "Cadê o livro que estava aqui há três meses?". Além de deselegante, demonstra certo desequilíbrio emocional da sua parte;
- Interromper atendimento alheio para fazer "só uma perguntinha";
- Encarar com sangue nos olhos, enquanto aguarda atendimento, o livreiro que está em uma ligação telefônica. Entenda, livreiro ao telefone é livreiro descascando pepino de algum outro freguês;
- Ouvir músicas no alto-falante do celular;
- Usar o terminal de consulta da livraria para ver

a programação do cinema, conferir o boletim da faculdade ou o guia de motéis do seu bairro;

- Transformar livreiro em babá e deixar seus filhos sozinhos no setor infantojuvenil da livraria;
- Trocar os livros de lugar, tentar guardá-los na estante (agradecemos a gentileza, mas não, obrigado) ou esconder alguns para buscar mais tarde;
- Dobrar a orelha do livro, que você está lendo na livraria, para marcar a página que parou;
- Deixar seu bicho de estimação fazer necessidades fisiológicas dentro da livraria;
- Deixar seu filho fazer necessidades fisiológicas dentro da livraria;
- Fazer filhos dentro da livraria;
- Comer ou beber sobre os livros;
- Colocar copos, taças e afins em cima dos livros;
- Tirar os sapatos, as meias e as roupas íntimas para dar uma volta pela livraria. Também não é bacana pegar aquela edição de luxo de determinado livro e colocar no rosto para tirar uma sonequinha;
- Abrir os livros como se estivesse fazendo abertura de pernas numa aula de ginástica;
- Folhear os livros dando aquela lambidoca nos dedos;
- Assediar livreiros;

- Tentar invalidar a Leia Áurea, exigindo mais do que um livreiro pode e deve fazer. Exemplo: "Moça, você poderia trazer todos os livros do Vik Muniz que tem no estoque? É que estou achando a capa deste aqui com uma cor diferente do laranja convencional...";
- Comprar peixe, nunca dá certo.

3. PERGUNTAS QUE JAMAIS DEVEM SER FEITAS EM UMA LIVRARIA:

- "Você está ocupado?" – Um livreiro está sempre ocupado, minha gente. Há sempre um freguês precisando de ajuda, um telefone para atender, quilos de livros para guardar, outros quilos de livros para arrumar, ou seja, essa pergunta é quase um tapa na nossa cara;
- "Mas não tem ninguém para me atender?" – Sim, tem, você só precisa respirar fundo, manter a calma e esperar a sua vez, seu lindo;
- "Como assim você ainda não leu esse livro?" – Se a senhora não leu ainda, por que eu deveria ter lido? Se a senhora já leu, por que pergunta? Desculpe, mas vocês são um bocado confusos;

- "Os livros que estão aqui são para vender?" – Sugestões de respostas: "Não são livros, são isopor, faz parte da alegoria"; "Não, estão aqui só pra filmar umas cenas da nova novela do Manoel Carlos"; "Hum, vou te dar mais uma chance de você ir ali, e voltar com a pergunta certa";
- "O livro está esgotado, mas eu posso encomendar?" – Não, impossível. Se o livro está esgotado significa que a editora (responsável pela publicação do livro) não tem mais para fornecer para as livrarias. Livro também esgota, igual paciência;
- "Posso tirar xerox só desta página aqui?" – Vocês preferem levar o livro emprestado para xerocar ou que a gente os acompanhe até a papelaria mais próxima? Por favor, freguesia, não forcem o amor;
- "A pontuação do programa de fidelidade da livraria pode ser usado no café?" – Sim, se você conseguir pagar o resto da conta com dinheiro do banco imobiliário;
- "Qual era o livro que estava ali, naquela mesa, há umas duas semanas?" – A gente até responde, mas só se você responder qual era a roupa que você estava usando na ocasião;
- "Você pode segurar a minha sacola enquanto eu dou uma olhada na livraria?" – Risos nervosos;

- "Vocês vivem mudando tudo de lugar, onde foi parar o café da livraria?" – Esta pergunta é a mais proibida de todas, freguesia;
- "Como eu faço para recarregar o cartão da livraria?" – Não, minha gente, a brincadeira não é assim. Vou ali pegar umas revistas velhas e fazer uma colagem pra explicar como funciona um programa de fidelidade;
- "Onde fica a prateleira de *e-books*?" – *The e-book is on the tablet*;
- "Oi, você trabalha aqui?" – Sugestões de respostas: "Não. E você, trabalha aqui?"; "Não, estou aqui só pela bebida"; "Não, estou usando o crachá porque faço parte do fã-clube da livraria"; "Não, eu gosto de sair da minha casa aos domingos para carregar livros aleatórios"; "Não, eles estão distribuindo uniformes no piso superior"; "Não, eu apenas gosto de ficar sorrindo em uma livraria. Quer um abraço?"; "Claro que não, só vim aqui pegar um sol. Não tá um dia lindo?";
- "Oi, vende livros aqui?" – Vamos ao próximo capítulo do livro?

Parte II
Causos e Delírios Livrescos

1. [MISTURADO E TUDO JUNTO]

Escutar alguém pedir "O Pequeno Príncipe", de Maquiavel, em uma livraria é tão normal quanto alguém achar que o José Saramago nasceu no Brasil e foi parceiro de boêmia do Vinicius de Moraes. E por falar em Vinicius, tem quem jure que ele e o Chico Buarque são a mesma pessoa, afinal, Fernando Sabino era um dos heterônimos de Fernando Pessoa. Para a freguesia, nada impede que Jane Austen seja esposa do Paul Auster, e Norah Jones seja escritora, não cantora. Com os títulos dos livros, o delírio só melhora: "Crônicas de Jane Fonda" em vez de *Crônicas de Gelo e Fogo*; "Casamento à Prova de Bala" no lugar de *Casamento Blindado* e "Vinte Torres em Chamas" para *Cinquenta Tons de Cinza*. Vamos lá:

José Saramago não é brasileiro, Gabriel García Márquez não é carioca e Mia Couto não nasceu em São Paulo. Norah Jones é cantora, Nora Roberts é escritora. *O Crime do Padre Amaro* não é uma obra de Direito e *shoyu* é um molho japonês, diferente de Osho, que é um guru espiritual e tem mais de uma dúzia de livros publicados. Graciliano Ramos é um, Guimarães Rosa, outro. Quem anda bonito? Quem anda elegante? A freguesia não quer saber, a freguesia não tem limites. Acompanhem:

[Inclusão Literária]

Freguês: Moça, por favor, onde ficam os livros de autoajuda?

(Livreira, que anda numa fase "leitora de autoajuda" por motivos que não vem ao caso, se anima e leva o freguês até o setor.)

Freguês: Obrigada! Os da Clarice ficam aqui, né?

Livreira (com receio de perguntar): Clarice? Clarice Lispector?

Freguês (sem pestanejar): Ham-ham!

Livreira: Não, não. Eles ficam ali, em Literatura Brasileira.

Freguês (incansável): Mas ela é escritora de autoajuda, né?

Livreira: Então, depende...

Manual Prático de Bons Modos em Livrarias:
Depende porque, dependendo da pessoa, serve como autoajuda também. E agradecemos, de todo nosso maltratado coração, às redes sociais pela graça alcançada.

[Reading a Bad Romance]

FREGUESA: Moça, por favor, estou procurando aqueles livros de banca, sabe?

(*Sabrina* não tinha a menor vaidade, *Sabrina* que era mulher de verdade.)

LIVREIRA: Então, nós não comercializamos esses livros aqui.

FREGUESA: Mas eu não quero esses livros, sabe.

(Alô, coerência? Alô, alô. Freguesa me aborda perguntando por algo específico que não tem interesse?)

LIVREIRA: Hum.

FREGUESA: Eu queria um livro com o mesmo estilo desses de banca, mas sem a parte da sujeira.

(O desejo ardente meu-coração-amanheceu-pegando-fogo da freguesa era falar "sem a sacanagem", mas a presença da filha, certamente, deixou nossa linda bastante tímida.)

LIVREIRA: Ah, entendi.

(Enquanto a livreira mostra alguns autores do gênero "estilo de banca, mas sem a parte da sujeira", a freguesa pega uma determinada edição de *O Morro dos Ventos Uivantes* e solta a "pérola"...)

Freguesa: Aqui ó, tipo essa autora, moça. Acho essa mulher ótima! Foi ela quem escreveu a saga *Crepúsculo*, não foi?

(Misericórdia, Senhor!)

Manual Prático de Bons Modos em Livrarias:
Sim, a freguesa saiu da livraria sabendo que *O Morro dos Ventos Uivantes* é o livro favorito de uma das personagens da saga *Crepúsculo* e que Emily Brontë nada tem a ver com os livros vampirescos. Porém, um atendimento como esse faz com que toda a cota de simpatia do mês termine em vinte minutos. Da próxima vez, não só vou confirmar o delírio, como também vou dizer que tem livro novo da autora na praça: *Entrevista com o Vampiro*.

[Clarice Xavier]

Freguesa (olhando para a mesa de lançamentos): Moço, eu sou de Minas Gerais, então quero saber o que está bombando aqui na cidade de vocês.

(O que está bombando na cidade? O sol, minha senhora, o sol é a única coisa que bomba na nossa cidade.)

Livreiro (separando alguns dos livros da bancada): Olha, de lançamento, nós temos...

(Livreiro mostra uma dezena de títulos para a freguesa, que não vê graça em nenhum.)

Freguesa: Ai, moço, eu quero ler algo muito bom. O que você me indica?

Livreiro: A senhora já leu Clarice Lispector?

(Freguesa olha para livreiro com asco, dá um passo para trás, coloca a mão na cabeça e é enfática.)

Freguesa: CLARICE? DEUS ME LIVRE! DETESTO CLARICE LISPECTOR.

Livreiro (espantado com a reação): Não gosta de Clarice, é?

Freguesa: NOSSA, DETESTO. DETESTO LIVRO ESPÍRITA.

Manual Prático de Bons Modos em Livrarias:
Escritora de autoajuda e livros espíritas, irmã da Cecília Meireles, autora de internet, enfim, a freguesia não brinca em serviço quando o assunto é Clarice Lispector. Vocês estão de parabéns.

[Madame Bovary C'est Moi]

FREGUESA: Moça, por favor, onde eu encontro os livros da *Madame Bovary*?

LIVREIRA: Mas você procura por alguma edição específica?

FREGUESA: E ela tem muitos publicados?

(Muita calma, Hillé. Muita calma.)

LIVREIRA: Então, quer dar uma olhada nas edições que nós temos aqui?

FREGUESA: Sim, mas qual é o mais famoso dela?

LIVREIRA: Como assim?

FREGUESA: De todos que ela escreveu, qual é o mais vendido?

(Agora, em *slow motion*: muita calma, Hillé, muita c-a-l-m-a.)

Manual Prático de Bons Modos em Livrarias:
Flaubert, gato, se estiver precisando de um ombro amigo, me liga.

[O Freguês dos Baskerville]

FREGUÊS: Olá, onde posso encontrar a biografia do Sherlock Holmes?

(Pausa para um café filosófico, um banquinho, um violão, qualquer coisa...)

LIVREIRO: Biografia do Sherlock Holmes? Mas ele é um personagem fictício de Conan Doyle.

FREGUÊS: Mas vocês têm a biografia dele?

(Livreiro, aflito, teme estar falando em russo, mas mesmo assim acha válido mais uma tentativa.)

LIVREIRO: Senhor, Conan Doyle escreveu aventuras sobre Sherlock Holmes, mas o personagem é fictício, sendo assim, ele não existe. Aliás, temos aqui na livraria algumas edições dos livros de Sherlock Holmes comentadas.

(Livreiro vai até a seção de literatura, pega uma das edições citadas e entrega o exemplar ao freguês, que examina a obra cuidadosamente e, satisfeito, finaliza o espetáculo.)

FREGUÊS: Ah, e essa é a biografia dele?

LIVREIRO: ...

Manual Prático de Bons Modos em Livrarias:
Pegadinha do Malandro, câmera escondida, Topa Tudo por Dinheiro, enfim, trabalhamos com tudo isso e mais um pouco.

[Saramago Brasileiro da Gema]

FREGUESA (completamente alterada): Eu posso saber que ABSURDO é esse? Como é que vocês se ATREVEM a colocar o Saramago na estante de Literatura Estrangeira?

(Hahaha, porque ele é irmão do carioca Gabriel García Márquez e primo do Paulo Coelho?)

LIVREIRA: Mas minha senhora, ele é português, sendo assim, não dá pra deixar os livros dele na estante de Literatura Brasileira, né?

(Quantas tonalidades de vermelho a vergonha é capaz de proporcionar ao rosto humano?)

Manual Prático de Bons Modos em Livrarias:
Tá vendo que feio, freguesia? Sim, ninguém é obrigado a saber a nacionalidade dos escritores, nem a gente, mas daí querer fazer sopa de alhos com bugalhos na nossa cozinha já é demais.

[A Volta dos Mortos Cozidos]

Freguesa: Moça!, eu já procurei por todo lugar, mas não encontro a biografia da Ofélia.

(Sim, nós sabemos da importância das receitas da Ofélia, mas ninguém nunca teve a brilhante ideia de escrever uma biografia da fofa?)

Livreira: Biografia da Ofélia?! Não seria aquele livro famoso de receitas?

Freguesa: Não! Eu quero o que conta a história de vida dela.

Livreira: Não conheço. É lançamento?

FREGUESA: Isso! Ontem ela estava no programa do Ronnie Von falando sobre o livro.

(*Ma che*! Estamos falando da mesma pessoa, minha senhora?)

LIVREIRA: A Ofélia? Mas ela não morreu há mais de dez anos?

FREGUESA: Deus me livre, moça, não fala uma coisa dessas. Até pouco tempo ela tinha um programa de TV, você não assistia?

LIVREIRA: A Ofélia? Tem certeza?

FREGUESA: Tenho. Ela apresentava com um boneco engraçado.

(Hahahaha.)

LIVREIRA (mostrando o livro da Palmirinha): Então, será que não é esse aqui?

FREGUESA: Ahhhhh, é esse mesmo!

Manual Prático de Bons Modos em Livrarias:
Ofélia, Palmirinha, Ana Maria Braga, minha mãe, a moça da cantina, Jamie Oliver, a avó do Serginho Moreira, enfim, tudo igual, só muda o endereço e, principalmente, o tempero da esfiha.

[Ponto de Mutação]

FREGUESA: Moça, onde ficam os livros da Norah Jones?

(Aquela fofa, que além de cantora resolveu virar atriz e fez *My Blueberry Nights*, com a linda da Cat Power? Resposta: não.)

LIVREIRA: Livros da Norah Jones?

FREGUESA: Isso.

LIVREIRA: Mas a Norah Jones é cantora. Será que você não está à procura dos livros da Nora Roberts?

FREGUESA: Impossível. Meu cunhado jamais passaria o nome errado.

LIVREIRA: ...

FREGUESA: Eu vou ligar pra ele e confirmar o nome da escritora.

LIVREIRA: ...

Manual Prático de Bons Modos em Livrarias:
Além de ter que se acostumar com tudo, afinal, é cantor que vira ator, ator que vira cantor, escritor que vira diretor de cinema, diretor de cinema que

vira escritor, precisamos também aprender a lidar com a explosão mental alheia. E como reagir em um caso de alucinação como o descrito ao lado? Já dizia um provérbio chinês: se a palavra é de prata, o silêncio é de ouro. Sendo assim, prezado freguês, respeite o nosso silêncio e saia da livraria sem ferimentos graves no ego.

[I Want to Break Free]

Freguês: Mocinha, boa tarde. Tem o livro do Freddie Mercury?

(O sonho de todo livreiro é um dia poder ir trabalhar com a roupa do ex-vocalista do Queen e cantar para os fregueses "I Want to Break Free".)

Livreira: Olha, só sobre o Freddie Mercury não temos nada no momento, mas temos alguns livros do Queen.

(Livreira percebe o rosto do freguês despencar e prevê um AVC.)

Freguês: Não, moça, é um livro de Direito Civil, sabe?

(Hahaha, Freddie Mercury, né, seu lindo?)

Livreira: Ah, o senhor quis dizer Fredie Didier?

(Fazer *cosplay* de Google, quem nunca?)

Freguês: Isso.

Manual Prático de Bons Modos em Livrarias:
Que beleza, que maravilha, olha, se bêbada eu estivesse, teria respondido: Liga não, gato, até porque todo advogado é... deixapralá!

[Neil Jung]

Freguês: Boa tarde, você tem aí a biografia do Neil Young?

Livreiro: Fica lá em Psicologia.

(*Oh, wait?*)

Freguês: Ahn? Em Psicologia? Mas o Neil Young?

Livreiro: NÃO! Nossa, perdão, foi mal.

(Pronto, passou, foi só um susto.)

Livreiro: Na verdade, fica lá em Psicanálise.

(Livreiro amigo, simule um desmaio, passe a bola, finja que está possuído, qualquer coisa. Ou melhor, silêncio, mantenha o silêncio.)

Freguês: Amigo, estou falando do NEIL YOUNG e não do JUNG. Tá fácil trabalhar aqui, hein? Tão contratando qualquer um.

(VIXE!)

Manual Prático de Bons Modos em Livrarias:
Tem nada fácil não, freguesia, tá é difícil. Alguém me serve um bom drinque, sem gelo? Obrigada.

[Milk-Shakespeare]

FREGUESA: Oi, moça, eu queria uma versão adaptada de *Macbeth* e de *Mil e Uma Noites,* para uma criança de nove anos. O colégio está pedindo e eu não encontro em lugar nenhum.

(Livreira pega algumas edições e entrega à freguesa, que dá uma olhada em algumas e, em uma determinada edição, analisa com desdém e comenta...)

FREGUESA: Ai, isso aqui nenhuma criança de nove anos lê!

(Livreira tenta explicar que fez a leitura do mesmo livro com aquela idade, mas fica só na tentativa mesmo. Escolhidos os exemplares, a freguesa parte para o próximo título.)

FREGUESA: Esse é o *Mil e Uma Noites* original do Shakespeare, né?

(QUÊ?)

LIVREIRA: *Mil e Uma Noites*... Shakespeare?

FREGUESA: É! Eu quero o *Mil e Uma Noites* do Shakespeare, querida!

(*Don't call me* querida se não há amor em seu coração, senhora.)

Livreira: Mas, moça... Shakespeare não escreveu o *Mil e Uma Noites*. Não seria o *Sonhos de Uma Noite de Verão*?

Freguesa: Isso! *Mil e Uma Noites de Verão*!

Manual Prático de Bons Modos em Livrarias: Confundir tomate com caqui, quem nunca? Mas para o bem estar mental de todos, recomendamos o uso da lista de livros expedida pelo colégio antes de o ano letivo começar. Assim, o risco de você comprar o livro errado para o seu rebento cai para: zero!

[Alexandre, o Grande]

FREGUÊS: Rapaz, você tem aí *A Dama das Camélias*?

(Livreiro pede um momento para verificar no sistema.)

FREGUÊS: Poxa, esqueci o nome do autor.

LIVREIRO: Não, não tem problema, é o Alexandre Dumas.

FREGUÊS: É isso mesmo, Alexandre Do Mar.

(Pausa. Respira. Como deve ser, o livreiro dá continuidade ao atendimento.)

LIVREIRO: O senhor deseja alguma edição específica? O senhor quer o texto integral ou é para a escola?

FREGUÊS: Não! É o de Literatura Brasileira mesmo.

Manual Prático de Bons Modos em Livrarias:
Aí, moçada, não precisa ter vergonha de não saber ou não conhecer aquilo que se está comprando. Mesmo. Pintou uma dúvida? Em caso de emergência, além das cartas, temos universitários para auxiliar vocês.

[Molho Espiritual]

Freguês: Mocinho, por favor, você pode me mostrar onde ficam os livros sobre Shoyu?

(Livreiro, prontamente, leva a cliente até a estante de gastronomia e mostra alguns livros de culinária.)

Freguesa (inconformada): Não, não. Não são esses!

(Pensativo, livreiro mostra títulos sobre molhos, comida oriental e NADA.)

Freguesa (no alto da sua indignação e falando cada vez mais alto): SHOYU, MEU FILHO, SHOYU!

(Sem ter a quem recorrer, livreiro olha desoladamente para os lados, sem um resquício de esperança.)

Freguesa 2: OSHO! O que ela quer são livros do OSHO!

(Uma segunda freguesa, que acompanhava de perto a situação, é a grande salvadora da pátria. Livreiro, aliviado, leva a freguesa até o setor de livros religiosos, e tudo termina bem.)

Manual Prático de Bons Modos em Livrarias:
Matar um leão por dia seria mais fácil se tivéssemos mais fregueses como a que salvou a pátria do livreiro. Aliste-se você também e venha nos salvar!

[Brás Cubas, Literatura Fantástica]

FREGUÊS 1 (segurando um exemplar de *Memórias Póstumas de Brás Cubas*): Esse livro do Brás Cubas é bom?

(Livreira acompanha a conversa entusiasmada entre os dois fregueses, enquanto organiza uma das estantes do seu setor.)

FREGUÊS 2: Sim, é muito bom, você nunca leu?

(Amigo, se ele tá perguntando se é bom é porque ele nunca leu.)

FREGUÊS 1: Não, mas ese tal de Brás Cubas escreveu só este livro?

Manual Prático de Bons Modos em Livrarias:
Machado de Assis me ligou ontem e disse adorar ser o autor mais lembrado pelos fregueses alucinados da livraria. Tâmo junto, Machadão, tâmo junto.

[Fábulas do Design]

FREGUESA: Moça, estou procurando um livro da área de design.

LIVREIRA: Qual é o título? Eu procuro para você.

FREGUÊS: Esopo.

(Esopo? Área de design? Tem que ver isso aí.)

LIVREIRA: Só Esopo? Mas é livro de design mesmo? Não é o das fábulas de...

FREGUÊS: Não. Na verdade, é um livro de comunicação editorial.

(Esopo? Comunicação editorial? Meu querido, você está fazendo isso MUITO errado.)

LIVREIRA: Então, você tem certeza que o título é esse? Não estou encontrando nada.

FREGUÊS: É, moça. É um livro de histórias de galinhas e tal.

Manual Prático de Bons Modos em Livrarias:
Rapidinho, prá gente não perder muito tempo: o professor do seu curso de medicina passou aquele livro de literatura latino-americana para você ler?

Pois bem, o livro continua sendo da "área de literatura" e não da "área de medicina". Sério, pode confiar em mim.

[Café com Aroma de Baleia]

FREGUESA: Bom dia, vocês têm livros daquele autor "Moby Dick"?

(Vocês conseguem visualizar a cena, minha gente? A livraria mal abre as suas portas e alguém pergunta pelo autor DICK, MOBY.)

LIVREIRA: Mas "Moby Dick" é o título de um livro, senhora...

FREGUESA: Isso, isso. É que eu estou procurando livros sobre o fundador da Starbucks.

LIVREIRA: Calma, a senhora está procurando livros do Melville ou sobre a Starbucks?

FREGUESA: Ué, não é a mesma coisa? Não foi ele quem fundou a empresa?

(MEU DEUS DO CÉU! O QUE VOCÊS TOMAM NO CAFÉ DA MANHÃ?)

Manual Prático de Bons Modos em Livrarias:
Uma coisa é uma coisa, outra coisa é outra coisa. A companhia de café teve apenas o seu nome inspirado pelo personagem Starbuck, do livro *Moby Dick*, porém Melville nada tem a ver com o café nosso do dia a dia.

[Dostoiévski para Advogados]

FREGUÊS: Moça, você tem o livro *Crime e Castigo*, da editora XXX?

LIVREIRA: A editora XXX não publicou esse livro, mas temos publicações de outras editoras, pode ser?

FREGUÊS: Como não? Saiu no boletim da editora, tenho certeza.

LIVREIRA (respirando e tentando ajudar): Senhor, *Crime e Castigo* é do Dostoiévski, você tem certeza que o título é esse mesmo?

FREGUÊS (gritando feito uma besta selvagem): Claro que eu não me confundi! *Crime e Castigo* não é desse cara!

(Ah, não é? Fale-me mais sobre o assunto.)

LIVREIRA: Ok. Quem é o autor, então?

FREGUÊS (procurando a anotação na agenda): É o Carlos Canêdo.

(Livreira joga o nome do autor no sistema para ver os títulos escritos por ele.)

Livreira: Senhor, será que o livro não é o *Ambivalência, Contradição e Volatilidade no Sistema Penal*?

Freguesa: Isso!

Manual Prático de Bons Modos em Livrarias:
É, igualzinho a *Crime e Castigo*.

[Segura, Basquiat!]

FREGUESA: Oi, você tem o livro daquele pichador londrino famoso, que ninguém nunca viu o rosto, o Basquiat?

(Oi?)

LIVREIRA: Mas, senhora, o rosto do Basquiat é conhecido. Será que não é o Banksy?

FREGUESA: É Basquiat, menina. Tem ou não tem?

(Cadê sandálias da humildade? Livreira vai até o setor de Artes e pega um livro qualquer sobre o artista solicitado pela freguesa.)

FREGUESA: Mas não é isso que estou procurando, é outra coisa.

(Cê jura, minha senhora?)

LIVREIRA: Então, nós temos também esse livro do Banksy, que...

FREGUESA: É esse mesmo!!!!!!

Manual Prático de Bons Modos em Livrarias:
Freguês que teima com livreiro, por favor, voltar três casas e ficar uma rodada sem jogar.

[A Reforma do Português]

FREGUÊS: Moça, onde ficam os livros em português?

(Aaaaaaah lelek lek lek lek lek. A pessoa está em uma livraria no Brasil, veja BEM.)

LIVREIRA: Você está procurando algum título específico?

FREGUESA: Os livros de Literatura Portuguesa.

LIVREIRA: Ah, sim, vamos lá que eu te mostro.

(Livreira leva o freguês até a seção de Literatura Portuguesa e...)

FREGUÊS: Moça, mas aqui só tem nome brasileiro!

(Oh pá!)

Manual Prático de Bons Modos em Livrarias:
De acordo com a nova reforma ortográfica da Língua Portuguesa, todos os nomes escritos em português de Portugal passam, agora, a ser escritos em português brasileiro. Logo, quem era José passa a ser chamado de José e assim por diante. Estamos claros? Que bom.

[O Livro Roxo de Jung]

Freguesa: Mocinha, por favor, você tem esse livro, só que roxo?

(Sim, a freguesa estava apontando para *O Livro Vermelho*, aquele do Jung, aquele que é vermelho, e só vermelho, e por isso se chama *O Livro Vermelho*.)

Livreira: Como assim, minha senhora?

Freguesa: Então, é que eu estou decorando um ambiente e preciso de três metros de livro roxo. Tem como você me arranjar esse livro grandão, só que roxo?

(Esse livro grandão, só que roxo.)

Manual Prático de Bons Modos em Livrarias:
SAMU, manda uma ambulância, pra ontem.

[Virgem Surfistinha]

FREGUESA: Mocinha, boa tarde, tem aquele livro do Gabriel García Márquez, o "Memórias da Minha Virgem Puta"?

(Virgem e puta? Tô confusa.)

LIVREIRA: Não seria o *Memória de Minhas Putas Tristes*?

FREGUESA: Não, não. É um novo aí, que ele lançou há pouco tempo.

(Novo de 2004? Sei.)

LIVREIRA: Olha, o último livro dele é o *Eu Não Vim Fazer um Discurso*. O que a senhora está procurando certamente é o *Memória de Minhas Putas Tristes*, só que não é lançamento, ele já é um pouquinho antigo.

FREGUESA: Não. Eu li sobre esse livro numa revista... É "virgem e puta" mesmo.

(Vem gente, vem disputar o título de "Rei da Paciência" do baile.)

LIVREIRA: Então, não existe nenhum livro com esse título... nem do Gabriel García Márquez, nem de outro autor.

Freguesa: Tudo bem, eu vou confirmar o nome e depois eu volto.

Livreira: Certo. ☺

Manual Prático de Bons Modos em Livrarias:
Fregueses, vocês acham que é possível manter uma relação de amor verdadeiro sem confiança? Não, né? Portanto, pedimos encarecidamente que confiem em nós. Caso isso não seja possível, recomendamos a utilização do kit-memória: Google+Papel+Caneta.

[De Volta Para o Futuro, por Jane Austen]

FREGUESA 1 (apontando para os livros da Jane Austen): Essa mulher era genial. Eu já li toda a obra dessa escritora, absolutamente tudo.

(Haha gente, desculpa, mas ficar se gabando por ter lido a obra completa da Jane Austen é o mesmo que querer uma medalha por ter lido todos os quatro livros do J.D. Salinger.)

FREGUESA 2: E qual deles você me indica?

FREGUESA 1: Ah! *Desejo e Reparação*. *Desejo e Reparação* é lindíssimo, maravilhoso!

(Maravilhoso? Ora, maravilhoso vai ser o dia em que o Divino Espírito Santo me conceder a tão sonhada audição seletiva. Sério mesmo.)

Manual Prático de Bons Modos em Livrarias:
Ian McEwan soube da conversa entre as freguesas e mandou aquele abraço carinhoso. Ele também mandou dizer que o nome do livro DELE é *Reparação*.

[Um Peixe Chamado Hemingway]

FREGUESA: Mociiiiiiiiiiiiiiiiiiiiiiiiiiiiiiiiiiiiiiiiiiiiiinha.

("Mocinha"!? Fregueses, francamente, "mocinha"? Vocês chamam a pessoa amada de "mocinha" ou "mocinho"? Duvido. Cadê amor?)

LIVREIRA: Pois não, senhora?

FREGUESA: Eu queria aquele livro que fala sobre a amizade entre um homem e um peixe.

(Amizade entre um homem e um peixe? A freguesa confundiu peixe com cachorro e está à procura de *Marley e Eu*? Mas não vamos entregar os pontos; ao contrário, vamos deixar o delírio rolar.)

LIVREIRA: ...

FREGUESA: Então, acho que o nome do livro é "O Velho e o Barco".

(Rapaziada...)

LIVREIRA: Olha, será que não é *O Velho e o Mar*, do Hemingway?

FREGUESA: Exato! Ah, mas o nome é parecido, né? Eu quase acertei!

(Livreira ~~pega uma medalha e pendura no pescoço da freguesa~~ vai até a estante, pega um exemplar da obra e entrega para a freguesa.)

Livreira: Pronto, aqui está.

Freguesa: Mais uma coisa, mocinha, este livro é BONITINHO?

Manual Prático de Bons Modos em Livrarias:
Está proibido, após a publicação deste manual, o uso do diminutivo por pessoas acima de três anos no ambiente livraria. Pela atenção, obrigada.

[Quase lááá!]

FREGUESA: Oooooooooooi, Queriiiiiiiiiiidaaaaaa-aaaa.

(Livreira adora ser chamada de querida por quem não conhece, ainda mais com essa profusão de vogais, ANYWAY vamos lá.)

LIVREIRA: Boa tarde, senhora, posso ajudar?

FREGUESA: Poooooooode. Eu tava quereeeeeeendo aqueeeeeele liiiiivro que tem alguma coooooisa a veeeer com... éééééé...

(Como não lembrar com carinho de: GALOPEEEE-EEEEEEEEEEEEEEEEEIRA?)

FREGUESA: Éééééé... eu não lembro do nooooome, do autooooooor (...), mas seeei que tiinha alguma coooooisa a ver com coooooonchas... Acho que era a *Beleza da Concha*, teeeeeem?

LIVREIRA: *A Beleza da Concha*? É lançamento?

FREGUESA: Ééééééééé, acho que é francêês... saiu no jornal ooonteeeiiiin, você não viiu?

(Tempo! tic tac tic tac tic tac PÉÉÉÉ, QUAL É A RESPOSTA CERTA?)

Livreira: Por um acaso é o *Elegância do Ouriço*?

(Dein dein dein dein, temos uma vencedora!)

Manual Prático de Bons Modos em Livrarias: Concha, ouriço, beleza, elegância, tanto faz. Não sei vocês, mas vou ficar com a música "Galopeira" na cabeça até 2089.

ouriço é o novo "pretinho básico"!

[Alguma Coisa do Futuro]

Freguês: Oi, eu procuro um livro que eu não sei o nome nem o autor.

(Ok, isso já é um padrão.)

Livreira: Certo, você lembra alguma coisa sobre o livro?

Freguês: É lançamento, moça, e fala da história que deu origem ao *Exterminador do Futuro*.

Livreira: Certo, é o livro do Dick?

Freguês: Ai, moça, sei lá.

("Sei lá". Como diria Ben, o Jorge: que maravilha. Livreira pega o livro na estante e mostra para o freguês.)

Livreira: Você já viu a capa? É essa aqui? Do *Vingador do Futuro*?

Freguês: ISSOOO!!!

Livreira: Então, na verdade esse livro é uma antologia dos contos dele que viraram filme, tipo *Minority Report* (e não *O Exterminador do Futuro*).

Manual Prático de Bons Modos em Livrairas:
I'll be back, freguesia!

1.1 E você, já comprou o seu *Vade Mecum* hoje?

Vade Mecum parece até nome de banda de Heavy Metal, mas na verdade é um compêndio que reúne as leis mais importantes do nosso ordenamento jurídico. Ele é procurado, principalmente, por professores, concurseiros, estudantes e candidatos ao Exame da OAB. E não entra na minha cabeça como é que alguém que não consegue decorar o título de um livro pode ser capaz de decorar não sei quantas leis. Sim, senhoras e senhores, porque quase sempre o diálogo entre o livreiro e freguês que está a procura de alguma edição do *Vade Mecum* é assim:

Freguesa: Moça, você tem aí *Mad Max*?

Livreira: Vamos ali na parte de áudio.

Freguesa: Áudio? Não, moça, é livro.

Livreira: Ah, você quer algum livro sobre o *Mad Max*?

Freguesa: Acho que é.

("Acho que é." Livreira joga no sistema e encontra dois livros sobre o filme: um por encomenda e outro fora de catálogo.)

Freguesa: Isso é impossível! Acabou de sair uma edição atualizada. Eu e meu filho vimos aqui na semana passada!

(Enquanto a livreira tenta explicar para a senhora que aquilo era impossível, ela bate o olho em algo e grita com cara de poucos amigos.)

Freguesa (apontando para um exemplar do *Vade Mecum*): ACHEI!

1.2 Causos de Bolso

Uma frase, um gesto, uma pergunta, um movimento e, pronto, tudo está fora do lugar, inclusive o bom senso. É sempre muito rápido e funciona da seguinte forma: freguês entra, aponta a arma, dispara o gatilho da loucura e, desinibido, vai embora. Se o crime contra o livreiro gera algum tipo de arrependimento? Estudos apontam que não.

[Profissão Repórter]

Freguês: Tem o DVD do Repórter 6?

Livreira: Repórter 6?

Freguês: Isso, daquele menininho lá.

(Durma com esse barulho, J.K Rowling.)

[Ótica Livresca]

Freguês: Moço, você tem óculos para perto?

(*Ma che*?)

Livreiro: Óculos?

Freguês: Um óculos para perto, queria dar uma olhada nos livros que me interessam com mais atenção, e eu esqueci o meu no carro. Você não tem mesmo?

LIVREIRO (quase rindo): Senhor, não tenho. Mas eu posso ler os capítulos pro senhor, tudo bem?

FREGUÊS: Ah, não! Queria eu mesmo ler!

[Programa de Fidelidade]

LIVREIRA: A senhora gostaria de participar do nosso programa de fidelidade?

FREGUESA: Mocinho, eu só sou fiel a minha alma e ao meu Deus.

[Xerox e Copiadora]

FREGUÊS: Oi, você tem XEROX HOLMES?

[Capitães de Qualquer Lugar]

FREGUESA: Meu filho precisa ler um livro pra escola chamado *Capitães de Cocapacabana*.

LIVREIRA: *Capitães de Copacabacana*?

FREGUESA: É, do Jorge Amado.

[Para Lourenço Mutarelli, com carinho]

Freguês: Oi, eu queria um livro chamado *O Cheiro do Rabo*.

Livreira: Não seria *O Cheiro do Ralo*?

[Meditação para Executivos]

Freguês: Você tem aquele livro *Buda e o Executivo*?

Livreira: *O Monge e o Executivo*?

[Poetinha]

Freguesa: Então, aquela poeta Clarince Lispector não escreveu um livro chamado *O Pássaro e a Estrela*?

Livreira: Poeta? Clarince? Pássaro?

[Soltando Pipa]

Freguesa: Eu queria aquele livro que saiu na lista dos mais vendidos *A Menina que Empinava Pipas*.

Livreira: Hahaha (a risada foi inevitável, eu confesso).

[Tiuria]

Freguês: Meu fí, rênha cá!

Livreiro: Pois não, senhor?

Freguês: Meu fí, digite aí o título "tiuria..."

Livreiro: Senhor, como se escreve essa palavra?

(Freguês vai até o teclado e digita.)

Freguês: Assim ó: T-I-U-R-I-A da Comunicação.

[Uma Portuguesa Chamada Sara]

FREGUESA: Oi, tem aí os livros da Sara Mago?

[Rícoque]

FREGUESA: Moça, eu preciso de uma indicação de livros sobre cinema. Eu gosto muito do Ricóque, por exemplo.

LIVREIRA: Desculpa, mas quem é Ricóque?

FREGUESA: Ai, aquele diretor de filmes de terror.

[Amor de Impressora]

FREGUÊS (num só fôlego): Livro *HP* do Padre Marcelo Rossi. E embrulha para presente, por favor.

(Você quis dizer *Ágape*?)

[Casa dos Espíritos]

FREGUÊS: Tem *A Casa dos Espíritos* da médium Isabel Allende?

[Alucinação Literária]

FREGUESA: Onde ficam os livros DUBLADOS?

Livreira: HEIN?

Freguesa: Livros dublados, ORAS!

(O que a freguesa queria eram os *audiobooks*.)

[Depressão Filosófica]

Freguês: Moça, estou procurando aquele livro *Quando Freud Entristeceu*.

[Família Queiroz]

Freguês: Oi, eu queria um livro daquela mulher, a Eça de Queiroz.

Livreira: Não seria do AUTOR Eça de Queiroz?

Freguês (esnobando, claro): Lógico que não! É uma autora nordestina conhecidíssima.

Livreira (tentando manter a amabilidade): Bom, o Eça de Queiroz era português. Será que o senhor não está procurando os livros da Rachel de Queiroz?

Freguês (um tanto quanto indignado): Tá, tá. Vai, me mostra os livros dessa outra aí, quem sabe eu gosto.

[Planeta Platão]

FREGUESA: Oi, você tem *A República* de Plutão?

[Água para Elefantes]

FREGUESA: Boa tarde, vocês têm *Água para Elefantes*?

SEGURANÇA DA LIVRARIA (depois de olhar ao seu redor): Senhora, aqui... eu acho... ah! Ali ó! (apontando para uma lanchonete próxima). Se eles não tiverem, é só a senhora sair da livraria e virar a esquerda, que lá nos sanitários deve ter.

[Aldous Cury]

Freguês: Tem *Admirável Mundo Novo*, do Augusto Cury?

[A Metamorfose]

Freguês: Oi, eu queria o livro *Sartre no Lago*.

Livreiro: Desculpe, mas qual é o nome do livro?

Freguês: *Sartre no Lago*.

(Livreiro pega uma peça ali, outra aqui e monta o quebra-cabeça.)

Livreiro: Não seria o *Kafka à Beira Mar*?

Freguês: Isso! Quase igual, né?

(Ô!)

[Que Rei Sou Eu?]

Freguês: Por favor, tem CD do rei?

(Rei pra mim é só o Bukowski, mas vamos lá.)

Livreiro: O senhor procura CD do Roberto Carlos ou do Elvis?

Freguês: Do Ray Charles mesmo.

[Os Russos Pira]

FREGUESA: Oi, tem "Persuasão" do Dostoiévski?

(E a vontade de responder "tem"?)

[Eu queria um livro]

FREGUÊS: Moço, eu queria um livro.

(Você está em uma livraria, que tal uma pizza de mozarela e uma coca de dois litros?)

LIVREIRO: Pois não?

FREGUÊS: É sobre um capitão que sai numa missão.

(BANG!)

[Eu queria um livro 2]

FREGUÊS: Bom dia.

LIVREIRO: Olá, quer ajuda?

FREGUÊS: Estou procurando um livro, é que, assim, eu não sei o nome do autor, mas sei que ele lançou um livro e depois lançou mais dois.

(Muito fácil essa, manda outra.)

[Girl Power]

FREGUESA: Oi, tem o livro "Os homens que não amavam as mulheres Super Poderosas"?

LIVREIRA: Quê?

FREGUESA: Dizem que é um livro muito bom.

[Família Auster]

FREGUESA: Boa tarde.

LIVREIRA: Boa tarde, tudo bem?

FREGUESA: Sim, tudo bem. Moça, deixa eu te fazer uma pergunta?

LIVREIRA: Pois não?

FREGUESA: Essa Jane Austen por acaso é esposa do Paul Auster?

[Vale Presente]

FREGUÊS: Boa tarde, vocês vendem vale presente?

LIVREIRA: Sim, vendemos.

FREGUESES: E ele vem em uma sacola?

[Revolução Francesa em Imagens]

Freguês: Moço, por favor, onde eu encontro livros sobre a Revolução Francesa?

Livreiro: Você procura alguma coisa específica?

Freguês: Sim, um livro com fotos da Revolução.

(Livreiro imagina que o freguês possa estar confundindo ilustrações com fotos e mostra alguns livros.)

Freguês: Não, moço, não quero desenhos. Eu quero um livro de FOTOS mesmo.

[Upalelê Songs]

FREGUÊS: Moça, vocês vendem CDs aqui?

LIVREIRA: Sim, posso te ajudar?

FREGUÊS: Estou procurando o novo do Eddie Vedder, o Bundalelê Songs.

(E por acaso esse CD conta com a participação do Latino?)

[James Bond, Pega o Bonde]

FREGUESA: Boa noite, tem aquele livro do James Bond, *A Alma Imoral*?

(Novo escritor na praça: James Bond. Vamos acompanhar.)

LIVREIRA: Do Nilton Bonder, né? Temos sim, só um instante.

[Amor em Dose Dupla]

FREGUÊS: Boa tarde, vocês tem o DVD do filme X?

LIVREIRO: Sim, temos. Qual que o senhor quer, pois tem o simples e a edição especial, que é dupla.

Freguês: DUPLO...?! Não, eu quero a versão simples mesmo. Até parece que eu vou pagar mais caro para ver o mesmo filme duas vezes.

(Mas gente?)

[Volta às Aulas – Geografia 1]

Freguesa: Oi, por favor, onde eu encontro mapa--múndi do Brasil?

(Um momento, vou ligar para a Lonely Planet e pedir para eles produzirem um sob encomenda.)

[Volta às Aulas – Geografia 2]

Freguesa: Oi, estou procurando um guia de viagem da Europa.

(Livreira mostra algumas opções para a freguesa, que olha todas com bastante cuidado e atenção.)

Freguesa: Certo, gostei. E a nível de mundo, o que é que você tem?

(A pergunta é séria e a freguesa não soube responder: o que seria um guia de viagem a nível de mundo?)

[Dante sem Fronteiras]

Freguesa: Moça, você tem a *Divina Comédia*?

Livreira: De qual editora você quer?

Freguesa: Não sei, mas o nome do autor é esse aqui ó (freguesa mostra a anotação com o nome do "autor": Scipione).

(Não fosse trágico, certamente seria divinamente cômico.)

[Wilson]

Freguês: Moça, tem "O Wilson"?

(Não, não era aquela HQ genial do Daniel Clowes.)

Freguesa: Ai, moça, do mesmo autor d'*O Senhor dos Anéis*.

Livreira: *O Hobbit*?

Freguesa: Isso, deve ser.

[Goodfellas]

Freguês: Oi, tem *As Crônicas de Gelo e Fogo*, do Martin Scorsese?

[Livraria tem de tudo]

FREGUESA: Oi, você trabalha aqui?

(Bocejos.)

LIVREIRA: Sim, trabalho.

(Freguesa enfia a mão na bolsa e puxa um celular de dentro. Livreira desconfia que a bonita vai consultar o título do livro que deseja comprar.)

FREGUESA: Então recarrega pra mim com 25 reais?

[Machado de Assis para Gringos]

(E no sebo amigo, a internacionalização do nosso escritor maior.)

FREGUÊS: Moço, tem John Casmurros?

[Vinil Maravilha]

(Freguês está parado na seção de música da livraria, diante da banca de vinis. Intrigado, ele pega um dos discos e questiona o livreiro.)

FREGUÊS: Moço, se eu colocar na vitrola, ele toca?

(Não, meu querido, ele vai virar uma paçoca.)

[Caminho das Índias]

FREGUESA: Olá, eu adoro música húngara e romena, e eu quero um DVD daquele cara que tem show gravado na Índia.

LIVREIRA: Sim, mas existem muitos cantores que têm DVD na Índia... A senhora não tem nenhuma outra informação?

(Freguesa fica indignada com a incapacidade de adivinhação da livreira, mas retorna, dizendo ter descoberto sozinha.)

FREGUESA: Meu bem, o nome do cantor é André Rieu.

(Até o ano de 2013 o cantor não tinha gravado nenhum DVD na Índia. Vamos acompanhar.)

[Uma tarde muito louca de verão]

FREGUÊS: Moço, tem "O Apanhador de Pipas"?

LIVREIRA: "No Campo de Centeio"?

FREGUÊS: Ai, não sei, a menina falou "Apanhador de Pipas", será que é esse?

(Será que eu chego?)

[Transformers]

FREGUESA: Oi, eu queria aquele livro que foi transformado em filme.

(Livreira, em silêncio, esperando a freguesa falar o título.)

FREGUESA: Moça?

LIVREIRA: Sim?

FREGUESA: Então, você tem?

LIVREIRA: Qual livro?

FREGUESA: Aquele que foi transformado em filme.

(MAOE no melhor estilo Silvio Santos.)

[Eu Vou!]

FREGUÊS: Por favor, já chegou a autobiografia do Rock in Rio?

[Essa Cara Sou Eu]

FREGUESA: Oi, você é a *única* funcionária aqui da livraria?

[Precisão: Não trabalhamos]

FREGUÊS: Olá, eu queria um livro só que eu não sei o título.

LIVREIRA: Você sabe alguma informação sobre ele?

FREGUÊS: Então, ele tem *várias páginas*.

[Lista de Exigências]

FREGUESA: Oi, você já leu este livro?

LIVREIRA: Ainda não.

FREGUESA: Conhece alguém que tenha lido?

LIVREIRA: Não.

FREGUESA: EU QUERO SER ATENDIDA POR ALGUÉM QUE TENHA LIDO ESTE LIVRO.

(E um mingau, a senhora aceita?)

[Anne, The Lost Girl]

Freguesa: Boa tarde, você tem aí o livro daquela menina famosa?

Livreira: Mas qual menina?

Freguesa: Aquele lá, o *Anne Frank, Drogada e Prostituída*.

Livreira: Não seria O *Diário de Anne Frank*?

Freguesa: Acho que sim, mas ela também não foi drogada e prostituída?

(O que Christiane F., Anne Frank e Bruna Surfistinha tinham em comum? As três eram blogueiras!)

[Winston Chuchu]

FREGUESA: Sabe aquele livro do Chuchu?

LIVREIRA (cara de interrogação): Livro do Chuchu?

FREGUESA: É, aquele que conta a infância dele.

(Mas desde quando tem biografia sobre o Geraldo Alckmin por aí, minha gente?)

LIVREIRA: Perdão, mas de quem a senhora está falando?

FREGUESA: Aquele cara famoso, PRESIDENTE da Inglaterra.

(E a vontade de largar tudo e sair pelo mundo de carro com a Berenice e a Leila Lopes?)

LIVREIRA: Seria o Churchill?

FREGUESA: Churchill? Haha, vocês têm um sotaque tão engraçado.

(SABE.)

[Causo ao molho Cury]

FREGUESA: Tem O *Vendedor de Sonhos*, do Augusto Cury?

(Livreira prontamente vai até a estante, pega um exemplar do livro e entrega à freguesa.)

Freguesa: E onde tem mais livros sobre Simbologia?

(Augusto Cury e Simbologia na mesma frase: WHAT?)

[Nome e Sobrenome]

Livreira: O sobrenome da senhora é Souza com "S" ou com Z"?

Freguesa: Claro que é com "S", né? Caso contrário, seria ZOUZA.

(Zouza total?)

2. DIÁLOGOS SURREAIS — ENSAIOS SOBRE A (NÃO) LUCIDEZ

Não basta ser freguês, tem que participar, deixar sua marca, seu carinho, seu delírio na livraria. E não é só de perguntas sobre livros e autores que vive o livreiro — muito pelo contrário. Durante grande parte do dia lidamos com questões envolvendo desde o comércio de pasta de dentes até o tráfico de hastes de óculos. Duvida? Olha aí...

[Trocando os Pés pelas Mãos]

FREGUESA: Olá, com quem eu posso falar sobre livros com defeito?

LIVREIRA: Pois não?

FREGUESA: Então, é que eu comprei esse livro já tem um tempinho, mas percebi só agora que estão faltando as últimas páginas.

(Livreira verifica o estado do livro e percebe que as últimas páginas estão realmente em branco.)

LIVREIRA: É verdade, nós podemos efetuar a troca. A senhora vai levar um exemplar do mesmo livro?

FREGUESA: Olha, eu não queria trocar, eu queri apenas as páginas que estão faltando.

(Hein? Como assim, Bial?)

LIVREIRA: Como assim?

FREGUESA: É que eu já fiz algumas anotações no livro e não quero perdê-las.

LIVREIRA: Entendo, senhora, mas não é possível fornecer só as páginas que estão faltando.

FREGUESA (virada no jiraya): Mas a culpa é de vocês! Vocês me venderam o livro com defeito.

(Até explicar que o problema é da editora...)

LIVREIRA (inspirando azul e expirando roxo): Olha, não podemos dar as páginas que estão faltando no livro. Não é possível, infelizmente.

FREGUESA: Mas vocês podem xerocar as páginas de um exemplar sem defeitos, oras. Vai, moça, não custa nada.

Manual Prático de Bons Modos em Livrarias:
Nam-Myoho-Rengue-Kyo. Nam-Myoho-Rengue-Kyo.
Nam-Myoho-Rengue-Kyo. Nam-Myoho-Rengue-Kyo.
Nam-Myoho-Rengue-Kyo. Nam-Myoho-Rengue-Kyo.
Nam-Myoho-Rengue-Kyo. Nam-Myoho-Rengue-Kyo.

[O Poder da Paciência]

FREGUESA: Moça, eu gostaria do livro X.

(Livreira consulta o sistema e observa que a obra está esgotada na editora. Livreira sabe que o termo "esgotado", no imaginário popular, significa algo parecido com "olha, não tenho, mas consigo para amanhã".)

LIVREIRA: Então, senhora, o livro tá esgotado na editora e não temos nenhum exemplar na loja.

FREGUESA: Esgotado?

(Pronto, vai começar a Dança dos Famosos.)

LIVREIRA (explicando com todas as letras): Sim, esgotado. A editora parou de publicar o livro e a livraria não consegue mais encomendar.

FREGUESA: Ah, sim. E se eu pedir, demora muito pra chegar?

(Quê que foi, quê que foi, o quê que há? Qual parte do "a livraria não consegue mais encomendar" a freguesa não entendeu?)

LIVREIRA: Não, senhora, como eu disse ele está esgotado. A senhora pode tentar conseguir em algum sebo.

FREGUESA: Sei, mas vocês não têm nenhum na livraria?

(Nove de julho é feriado do quê mesmo? Será que eu desliguei a cafeteira antes de sair de casa? Preciso marcar dentista. Meu Deus, tanta coisa pra pensar e, ah, sim, a freguesa...)

LIVREIRA: Não, nosso estoque está zerado.

FREGUESA: E não tem como mesmo?

(VAI, CAMPEÃ! RESPIRA FUNDO E VAI.)

LIVREIRA: Então, não dá pra pedir na editora.

FREGUESA: E não tem em nenhuma outra unidade de vocês, né?

(É realmente necessário fazer esse tipo de tortura chinesa com alguém que você nunca viu mais gordo em toda a sua vida?)

LIVREIRA: Não, não tem.

FREGUESA: Mas será que eu consigo encontrar em outra livraria?

(Alô, concorrentes! Precisamos instalar o sistema de vocês em nossos computadores.)

LIVREIRA (quase sem forças): Senhora, eu não consigo verificar o estoque de outras livrarias.

Freguesa: E não dá mesmo pra encomendar?

Livreira: Não.

(Vou desenhar, peraí.)

Freguesa: E não tem nenhum aí perdido?

Liveira: Não.

Freguesa: Então tá esgotado, né?

Livreira: É.

Freguesa: Ah, entendi.

Livreira: ...

Freguesa: Mas vou tentar em sebo... Quem sabe, né?

Livreira: ...

Manual Prático de Bons Modos em Livrarias:
Se não tem na editora, não tem na livraria. Se não tem na livraria, pode ter no sebo. Se não tem no sebo, sugiro lencinhos de papel para o chororô. Outra coisa importante: paciência também esgota no fornecedor, minha gente... cuidado!

[Alô Paixão, Alô Doçura, Alô Educação]

CENÁRIO: Domingo, livraria cheia de gente fina, elegante e sincera. Só que ao contrário. Livreiro está cercado de fregueses ansiosíssimos por atendimento, quando surge a pessoa mais ansiosa, dentre todos os fregueses, que se mete no meio dos demais e olha suplicante para o livreiro.

FREGUESA (sem respirar): RESERVEI UM LIVRO POR TELEFONE, ONDE EU TIRO? ONDE

(Educação, gentileza, MIMIMI: a gente vê por aqui.)

LIVREIRO: A senhora está vendo aquela estante com os guias de viagem? A central de reservas fica logo atrás.

(Freguesa corre e pra que agradecer, não é mesmo? Livreiro acompanha o movimento da freguesa: ela para diante da estante descrita, começa a percorrer os olhos pelos guias de viagem e volta, aflita, segundos depois.)

FREGUESA: EM QUE ORDEM ESTÁ AQUELA ESTANTE? NÃO TÔ ACHANDO O LIVRO QUE RESERVEI!

Manual Prático de Bons Modos em Livrarias:

Sim, freguesa, a senhora pode tirar o seu livro reservado amanhã, a partir das 15h, aqui na livraria. Lembre-se, ele vai estar na seção de Gastronomia, ao lado daquele livro vermelho do Jamie Oliver. Abraço cheio de afeto.

[Por onde anda Clarice?]

Ingredientes para um delírio inesquecível: lançamento de editora grande, bons drinques de graça e "autora de internet" envolvida. Só digo uma coisa: Berenice, segura. Segurem todos porque a freguesa anotou a receita direitinho e caprichou no "Bobó de Alucinação".

FREGUESA (com cara de quem percebeu um certo movimento estranho na livraria): Olá, quem é que vai lançar livro hoje?

(Fregueses que verificam a página de eventos da livraria na internet antes de pedir informações: amamos vocês.)

LIVREIRO: Ah, é o Benjamin Moser. Ele escreveu uma biografia da Clarice Lispector.

FREGUESA: E ela vem?

(Livreiro empalidece. Atenção: discando 193. Discando 193. Alô, bombeiros.)

LIVREIRO: Ela quem, senhora?

FREGUESA: A Clarice, moço.

(Alô, bombei... esquece, o livreiro já entrou em coma.)

Manual Prático de Bons Modos em Livrarias: Clarice mandou avisar que não vai aparecer tão cedo por aí, porque precisa ficar em casa bolando frases para vocês colocarem no Facebook. Toque livresco: recomendamos aos senhores fregueses o uso diário e sem moderação do site "Quem Morreu Hoje".

[Livreiro. Ou especialista em assuntos aleatórios]

FREGUÊS: Por favor, a estante de literatura gay?

(Depois de explicar que os "romances gays" não ficavam separados, livreiro percebe que o cliente procura, na verdade, a estante com livros eróticos de fotografia.)

LIVREIRO: Fica lá no piso superior.

FREGUÊS: E guia de turismo GLS, você tem algum para me indicar?

LIVREIRO: Olha, não conheço nenhum, mas os guias de viagem ficam lá em cima também.

FREGUÊS: E sauna gay, qual que você me indica?

Manual Prático de Bons Modos em Livrarias:
Não basta ser livreiro, especialista em assuntos aleatórios, conselheiro, terapeuta e tantas outras coisas. Para trabalhar em livraria você precisa ser, antes de tudo, uma pessoa forte.

[#SomosTodosLeitores]

FREGUÊS: Moço, por favor, como eu faço para saber o preço do livro?

LIVREIRO: Então, é só o senhor passar o código de barras ali no leitor de preço.

(A gente sempre salienta que é o código de barras, e aponta também, porque tem gente que passa a capa, a orelha, a lombada, tudo, menos o bendito código.)

FREGUÊS: Ah, obrigada.

(Livreiro começa a arrumar uma determinada seção, mas percebe que o freguês está demorando mais do que o normal em frente ao leitor. Ao se aproximar para oferecer ajuda...)

Freguês: Nove, sete, oito, cinco, dois (não, o freguês não está passando o código de barras no leitor; sim, o freguês está ditando os números do código de barras para o leitor de preço.)

Livreiro: ... (sai de cena em silêncio por motivos de constrangimento alheio nível cinco.)

Manual Prático de Bons Modos em Livrarias:
Sabemos que, em algumas livrarias, os livros não têm o seu preço na capa. Sendo assim, é normal a freguesia ficar desesperada para saber o valor daquele livro joia que deseja comprar. Mas, gente, é só olhar com carinho em volta: tem sempre um leitor de preço piscando pra você. E, não, não é preciso dizer nada, absolutamente nada.

[Disney Sidney Cisney]

Freguês: Moça, tem o livro "Cisne Selvagem"?

Livreira (depois de verificar no sistema): Olha, não consta nenhum livro com esse título.

(Freguesa olha para o monitor do terminal de consulta e, inconformada, rebate.)

Freguesa: Mas você consegue encontrar o título mesmo escrevendo errado?

(Ué? C I S N E S E L V A G E M.)

Livreira: Mas não foi esse o título que a senhora me pediu?

FREGUESA: Foi, mas está faltando um "I" no final de cisne.

(Livreira, no auge do bom humor, do sarcasmo e da ironia decide procurar por "Cisnei Selvagem", assim, só pra agradar a lindeza. Obviamente, nada não surge na tela.)

FREGUESA: Ai, moça, então tenta com "Y": CISNEY.

Manual Prático de Bons Modos em Livrarias:
Inventar título de livros está permitido, freguesia, mas querer inovar a língua portuguesa já é demais.

[Um Presente do Futuro]

CENÁRIO: Fim de semana com cara de fim de mundo. Pra ajudar, todos os telefones tocam ao mesmo tempo. Livreira atende uma das ligações e, claro, a conversa é completamente sem pé, cabeça, sentido. Para ajudar, parado em sua frente, um freguês bastante inquieto implora por atenção utilizando apenas a sobrancelha.

LIVREIRA (já antevendo o pedido de socorro do freguês): Moço, só um instante que eu já te ajudo.

FREGUÊS: Não, moça, eu só preciso que você me responda uma coisa.

(Entendam: "Uma coisa" pode ser muita coisa, tipo a Adele.)

LIVREIRA: Só um momento, por favor.

(Livreira, claro, ganha de presente uma bufada do freguês. Enquanto isso, do outro lado da linha, uma conversa muito louca de verão continua.)

FREGUÊS: Moça, sério, eu já até comprei o livro.

(Meu bem, se você já comprou o livro, O QUE É QUE VOCÊ QUER COMIGO?)

LIVREIRA: Certo.

(Livreira pede um instante para a voz do outro lado da linha e tenta ajudar o freguês aflito.)

LIVREIRA: Você comprou o livro e quer trocar?

FREGUÊS: Não.

LIVREIRA (respira): Então?

FREGUÊS: É que eu comprei um livro para dar pra minha amiga de presente.

LIVREIRA: Ahn, e você quer saber se ela pode trocar o livro?

FREGUÊS: Isso, mas tem um agravante.

(Mais essa agora. Claro que tem um agravante, meu senhor, essa conversa por si só já é um agravante.)

LIVREIRA: Diga.

FREGUÊS: Ela tem um filho de três anos e sete meses, mas o nome do livro é "Compreendendo o seu filho de quatro anos". Ou seja, o filho dela só vai ter quatro anos daqui a cinco meses. Será que ela vai gostar?

LIVREIRA: Como assim?

FREGUÊS: Tipo, o filho dela AINDA não tem quatro anos.

(Meu querido, eu entendi a idade do filho dela, só não entendi qualéqué a da agonia.)

LIVREIRA: Sei.

FREGUÊS; Então?

(Existirmos a que será que se destina, Caetano?)

LIVREIRA: Então o quê?

Freguês: Ela vai poder trocar, se não gostar, daqui a cinco meses?

Livreira: Mas você só vai dar o livro daqui a cinco meses?

Freguês: Não, o aniversário dela é hoje, mas o menino só vai fazer quatro anos daqui a cinco meses.

(Insira aqui o seu coquetel molotov favorito.)

Livreira: Mas ela pode trocar antes, senhor.

Freguês: É verdade. Mas ela vai gostar, né? Pois o filho dela ainda vai fazer quatro anos, né?

Livreira: Mais alguma coisa, senhor?

Freguês: Não, era só isso.

(O que eu disse sobre uma coisa ser muita coisa?)

Manual Prático de Bons Modos em Livrarias:
Gente, sério, qual é a graça de usar entorpecentes antes de entrar em uma livraria? Respostas em até 140 caracteres para o e-mail da livreira. Obrigada.

[Autores de Internet]

FREGUÊS: Moça, vocês já receberam os livros daqueles autores de internet?

(Autores de internet? Valha-me Deus! Calma, Hillé. Tudo bem, o freguês poderia estar à procura desses novos escritores, que começam a publicar em blogs, e-zines etc. Na dúvida, achei melhor perguntar.)

LIVREIRA: E quem seriam os "autores de internet"?

FREGUÊS: Ah, tipo aquele CAIO FERNANDES DE ABREU.

Manual Prático de Bons Modos em Livrarias:
Fregueses, duas coisas: primeiro, antes de compartilhar aquele trecho bonito que você leu na internet, verifique se a autoria é mesmo do escritor que assina o texto. Segundo, meus amores, não existe escritor de internet, existe escritor. E ponto.

[Freguesa Realista]

FREGUESA: Moça, por favor, aqui tem calendários com imagens de cavalos?

(Livreira dá uma olhada nos calendários, verifica no sistema, mas não encontra nada. "Tem dos cavaleiros do apocalipse, pode ser?")

LIVREIRA: Olha, de cavalos não tem nada disponível, mas temos alguns de pássaros, gatos, cachorros...

FREGUESA (com cara de nojinho): De cachorro? Deus me livre! De cachorro já basta o meu marido.

Manual Prático de Bons Modos em Livrarias:
Amamos fregueses sinceros? Resposta: Sim. E aqueles que vão direto ao assunto e são logo categóricos ao nos informarem que nada sabem a respeito do livro que desejam comprar? Também amamos. De uma forma diferente, mas também amamos.

[1001 frases de Afrodite para tatuar antes de morrer]

CENÁRIO: Final do expediente. Livreira já em ritmo de casa, cama e cobertor quando é abordada por uma freguesa *a little bit* desequilibrada. Acompanhe.

FREGUESA: Oi, eu queria um livro com umas frases.

(E eu queria paz de espírito. Risos. Meu bem, mas todo livro tem "umas frases".)

LIVREIRA: Como assim?

(Vale lembrar que na época do causo, o "livro de frases" ainda não tinha sido inventado.)

FREGUESA: Preciso escolher uma frase e traduzir para o grego, pois quero fazer uma tatuagem. Eu precisava de um livro para me ajudar a decidir. Você tem alguma sugestão?

(Que tipo de gente escolhe, dessa maneira, algo que vai ficar para o resto da vida marcado na pele?)

LIVREIRA: Olha, um livro só de frases nós não temos. Hã, mas... o que você gosta de ler?

FREGUESA: Ah, eu ODEIO ler.

(Minha querida, você está fazendo isso tão, mas tão errado, que OLHA.)

LIVREIRA: Então por que você vai tatuar uma frase se não tem contexto? Não existe nenhum autor que você goste?

(Livreira já sabia a resposta, mas achou uma boa cutucar a fera com vara curta.)

Freguesa: Ah, é que hoje eu acordei com essa vontade de tatuar uma frase, sabe. Bom, eu gosto de mitologia grega. Você conhece algum livro de frases de mitologia grega?

("Livros de frases de mitologia grega". Se eu acabei de falar que não tem um só de frases "normais"... E a vontade de entregar um livro da saga Percy Jackson?)

Livreira (mais confusa do que a cliente): Desculpa, OI?

Freguesa: Ah, moça, eu adoro a Afrodite... Vai, me fala alguma frase importante que ela tenha dito.

(HAHAHAHAHAHA.)

Manual Prático de Bons Modos em Livrarias:
De acordo com o livro "1001 frases de Afrodite para se ler antes de morrer", a melhor frase da deusa do amor para se tatuar em grego é "Se a sua pomba não gira, não tente parar a minha".

[Dicas de um Iogue]

CENÁRIO: Janeiro está sendo um mês tão iluminado, que a livreira está se sentindo na Paris dos anos 1920. Quase sempre, tudo o que falta é o jazz rolando como trilha sonora do delírio da freguesia.

FREGUESA: Moça, por favor, você tem *Autobiografia de um Iogue*?

LIVREIRA: Sim, temos. Você quer dar uma olhada?

FREGUESA: Ah, eu gostaria...

(Livreira apanha o livro e entrega à freguesa, que dá uma rápida olhada no conteúdo da obra e protesta.)

FREGUESA: AI, NÃO, ISSO NÃO. AQUI ELE SÓ TÁ CONTANDO A HISTÓRIA DE VIDA DELE. AFFF.

(Gente linda, gente bonita, como manter o equilíbrio emocional sem ajuda de remedinhos de tarja preta?)

FREGUESA: Ah, mas eu achei que fosse um livro com dicas (????) dele. Não vou levar, obrigada.

(De nada, filha. Aproveita a passagem pela livraria e compra um dicionário. Beijo.)

Manual Prático de Bons Modos em Livrarias:
O livreiro, esse ser elevado, dotado de conhecimento dos mais diversos assuntos, por mais que tente, jamais, e eu disse jamais, irá conseguir entender o que se passa na cabeça de alguém que acha que uma autobiografia possa vir a ser um livro de: dicas.

[Presente Unissex]

CENÁRIO: Dia 24, véspera de Natal. A livraria abre, mas os livreiros pedem de joelhos para a freguesia ficar em casa. Freguesia obedece – sim ou claro? Nenhum dos dois e todo mundo vai comprar o presente da sogra, do vizinho, do amigo oculto, enfim, de última hora. A gente ama tudo isso, recebe todos de braços abertos e com um sorriso no rosto. Ironia também manda beijos.

FREGUESA: Mocinha, você pode me ajudar?

(Se a freguesa soubesse que a livreira anda lendo livros de autoajuda porque o negócio tá difícil, certamente não faria esse tipo de pergunta.)

LIVREIRA: Claro.

Freguesa: Então, é que eu tô participando de um amigo oculto, mas a gente só vai saber quem tirou na hora. Daí eu preciso comprar um presente UNISSEX... você tem alguma sugestão?

(Livreira pensa em todas as possibilidades, mas o espírito de porco natalino toma conta do atendimento.)

Livreira: Meias?

Manual Prático de Bons Modos em Livrarias:
Freguesia linda, entendam, por mais que tentem vender de forma diferente, não existe essa coisa de livro de mulher e livro de homem. Isso vale também para as mães e pais e tias que chegam no setor infanto-juvenil e deixam de comprar determinado livro para a criança por ser "livro de menina" ou "livro de menino".

[Meu Querido Futuro Namorado]

Cenário: Livreira percebe que uma freguesa está mais perdida do que cachorro cego em dia de mudança e, antes que a simpatia ligue para os bombeiros, acha melhor oferecer ajuda.

Freguesa: Então, eu gostaria de dar um presente para o meu futuro namorado ("futuro namorado"). Ér, a gente ainda não ficou ("a gente ainda não ficou"), mas eu estou investindo na relação ("investindo na relação")...

Livreira: Hum, sei.

(Freguesa pega um livro de fotos eróticas de mulheres e começa a folhear.)

Freguesa: Dá a entender que sou uma namorada descolada ("descolada") se eu der um livro desses?

Livreira: Hum. Sim.

(Satisfeita com a resposta, freguesa decide, imediatamente, levar o tal livro.)

Freguesa: Obrigada, você me ajudou bastante!

Livreira: Hum. De nada.

Manual Prático de Bons Modos em Livrarias:
Sabe o tipo de conversa que você só consegue prestar atenção em alguns trechos de tão absurdos que são? Daí, quando a pessoa pergunta a sua opinião, você não encontra outro tipo de resposta que não seja "Hum" porque aqueles pedaços marcantes continuam ecoando na sua cabeça? Pois é.

[Freguês do Futuro]

Freguês: Moço, por favor, onde estão os livros de passado-futuro?

(Mas meu Deus do céu!)

Livreiro (transtornado simulando naturalidade): Como assim, senhor?

Freguês: Ué, livros de passado-futuro.

(Rá, "ué"? Eu que pergunto: "passado-futuro", meu senhor? Meu senhor, eu poderia estar na minha casa e o senhor na sua, mas já que estamos aqui, sejamos breves.)

Livreira: O senhor poderia me explicar o que é passado-futuro?

Freguês: Então, é que eu gosto de livros, assim, do

futuro, sabe? Só que do passado.

Livreira: Do passado?

Freguês: Sim, antigos.

(Santo cristo, vou pegar umas revistas velhas e pedir pro freguês fazer uma colagem, porque nem desenhando eu vou conseguir entender.)

Livreira: Livros antigos do futuro?

Freguês: Isso.

(Livreira tem um insight e resolve arriscar, valendo um milhão de reais.)

Livreira: Seriam os de ficção científica?

Freguês: É, menina! O que você me indica?

(Silêncio. Eu te indico o meu silêncio.)

Manual Prático de Bons Modos em Livrarias:
O que você, freguês, imagina? Você imagina que vivemos em um mundo paralelo onde cérebro é igual droga e algumas pessoas deixam de usar porque é proibido? Pois é, a gente também.

[Fala rápido, que eu to no orelhão]

Freguês: Boa tarde, vocês têm "orelhão"?

(A gente já chegou num estágio que... enfim, até explicar cansa. Bóra ser educado e apenas responder a pergunta do jovem.)

Livreira: Olha, tem no shopping, senhor. É só seguir o corredor e virar à direita.

Freguês: Como assim, não tem aqui na loja de vocês?

(E a vontade de responder: aqui não, mas na lanchonete ali da esquina tem um com molho especial.)

LIVREIRO: Não. Não tem orelhão aqui, senhor.

FREGUÊS: COMO NÃO? Vocês não vendem orelhão aqui?

(EU HEIN?! "Como não?" Oi? Estamos falando da mesma coisa, Bial?)

LIVREIRA: Vender... orelhão? Cartão? Ficha telefônica?

FREGUÊS: Não, dicionário! Aquele dicionário grandão!!!

(Pedro de Lara lá, lá, lá, lá, lá, lá.)

LIVREIRA: Ah, o Aurélio. Só um instante, por favor.

Manual Prático de Bons Modos em Livrarias:
Fregueses alfabetizados na língua francesa, por favor, colaborem. Nosso cursinho de idiomas é basicamente musical. Obrigada.

[Especialista em Poesia]

FREGUESA: Por favor, tem alguém aqui que seja especialista em poesia?

(Ainda não concluí o meu cursinho de poesia na Microlins, mas vamos lá.)

LIVREIRA: Olha, não. Posso tentar ajudá-la?

Freguesa: Então, é que eu gostaria de saber sobre o livro *Cartas a Um Jovem Poeta*.

Manual Prático de Bons Modos em Livrarias:
Por acaso vocês procuram por um chefe de cozinha quando vão comprar livros de culinária? Assim, só pra saber.

[Não]

Cenário: Aqueles dias em que a freguesia capricha no repertório de perguntas e, somado a vontade zero de falar, a única coisa capaz de sair de nossas bocas é um simpático "não".

FREGUÊS: Moça, Chico Buarque e Vinicius de Moraes são a mesma pessoa?

LIVREIRA: Não.

FREGUÊS: Oi, tem como você ver a programação do cinema, por favor?

LIVREIRA: Não.

FREGUÊS: Vocês vendem flauta?

LIVREIRA: Não.

FREGUÊS: Por favor, vocês vendem "protetor de tela" para computador?

LIVREIRA: Não.

FREGUÊS: Vocês vivem mudando tudo de lugar, onde foi parar o café da livraria?

LIVREIRA: Continua no mesmo lugar.

FREGUÊS: Ah, então não mudaram?

LIVREIRA: Não.

FREGUÊS: Moça, onde fica a parte de material escolar?

LIVREIRA: Não temos.

FREGUÊS: Então aquela placa "volta às aulas" é propaganda enganosa?

Livreira: Não.

Freguesa: Tem aquele livro chamado "Danuza"?

Livreira: Não, mas tem o *É tudo tão simples*, escrito pela Danuza, serve?

Freguesa: Esse é o nome do livro? É que está escrito "Danuza" tão grande na capa.

Livreira: Não, não, não.

Freguês: Lindinha, tem como me dar um desconto?

Livreira: Não, o livro já está com um preço bom.

Freguês: Ah, mas você não pode fazer nada por mim?

Livreira: Não, eu só sou uma pessoa com um crachá no peito.

Freguês: Nossa, que deprê! Você ganha mal aqui?

Livreira: Sim.

Freguês: Uns 700 reais?

Livreira: Menos.

Freguês: NOSSA.

Manual Prático de Bons Modos em Livrarias: Não.

[Das estantes que não existem]

CENÁRIO: Depois de perguntarem pela estante dos famigerados "livros porcaria", a freguesia andou se reunindo por aí para criar mais seções psicodélicas na livraria. O resultado desses encontros não poderia ser outro...

FREGUÊS: Moça, onde fica a parte de criatividade?

(Livreira olha para o freguês e pensa responder: "Na cabeça?")

***

FREGUÊS: Por favor, onde eu encontro livros para pessoas baixinhas?

LIVREIRA: Você procura o setor infantil?

FREGUÊS: Não, livros para pessoas com problemas de estatura mesmo.

***

FREGUÊS: Onde fica a seção de cotidiano?

LIVREIRA: Cotidiano?

FREGUÊS: É, livros sobre gravidez e coisas do tipo.

(Sim, porque engravidar – ou coisas do tipo – faz parte do dia a dia de todo mundo.)

***

FREGUÊS: Moça, por favor, onde fica a parte reservada da livraria?

LIVREIRA: Você está procurando a reserva?

FREGUÊS: Não, a parte reservada mesmo. Eu quero comprar DVDs de conteúdo adulto.

Manual Prático de Bons Modos em Livrarias:
Seção de criatividade, gravidez nossa do dia a dia e livros para pessoas com problemas de estatura. A freguesia é de uma astúcia impressionante. Estão todos de parabéns!

[Robin Hood Futebol Clube, só que não]

CENÁRIO: Dia das Crianças. Tem data melhor para incentivar a meninada a ler bons livros? Resposta: Sim. Complemento da resposta: No Natal, no aniversário, Páscoa (chocolate para quê?), no dia de Cosme e Damião etc. Então a tia chegou na livraria com a ideia de presentear o sobrinho, alucinado por futebol, com um presente diferente: um livro. Sim, senhoras e senhores, dar um livro para uma criança ainda é algo "diferente", infelizmente.

Freguesa: Moça, bom dia. Eu preciso presentear um garoto de 10 anos, ele gosta bastante de futebol.

(Você, freguês, que dá "bom dia" para o livreiro e conhece a pessoa para quem vai dar o presente: para você, muito amor.)

Livreira: Ah, legal. Você quer dar algum livro de time de futebol para ele?

Freguesa: Não.

(Alá, cabô amor. Mas o diálogo só melhora, prometo.)

Livreira: Hum, e o que você tem em mente?

Freguesa: Ah, não sei. Queria alguma coisa sobre cultura..

(Futebol, cultura, dez anos, presente, vamos lá.)

Livreira: Entendi. A senhora quer algum livro sobre a cultura do futebol?

Freguesa: Não, algo tipo *Robin Hood*.

(HAHAHAHAHAHAHAHAHAHA)

Manual Prático de Bons Modos em Livrarias:
Quem trabalha no setor infantil da livraria, além de fazer *cosplay* de recreador infantil, sabe que a maioria dos fregueses chega pedindo as coisas mais

absurdas do universo. Exemplo: "Ah, eu queria um livro de adulto, só que com uma linguagem infantil. É que meu filho é muito esperto, então eu não queria comprar nada bobinho, mas também nada muito cabeça."

[Oz, simplesmente Oz]

CENÁRIO: Gostamos muito dos pais que deixam para comprar na última hora os livros escolares da criançada. Gostamos mais ainda quando eles sequer sabem o nome do livro e começam a dar uma dica melhor do que a outra na hora de fazer o livreiro adivinhar o título. Gostamos muito. Só que ao contrário.

FREGUESA: Mocinha, por favor, estou precisando de um livro e o nome dele termina com "oz".

(Primeiro: "Mocinha"? Segundo: a senhora me jura que essa é uma pergunta real?)

LIVREIRA: Seria *O Mágico de Oz*?

FREGUESA: Não, não é esse. Mas tem "oz" no final, viu? A escola que tá pedindo.

(A escola tá pedindo livro e o meu olhar tá pedindo para a senhora sair daqui.)

Livreira (muito bonita, esperta e inteligente, lembra que vários outros pais encomendaram *O Labirinto dos Ossos* e supõe que seja esse): Olha, recentemente muita gente veio atrás desse aqui (mostrando um exemplar do livro para a freguesa).

Freguesa: Ai, bem, não sei. O livro terminava com "oz", não "ossos".

Manual Prático de Bons Modos em Livrarias:
Tia Hillé vai ensinar um mantra para vocês: anoteonomedolivrosempreanoteonomedolivrosempreanoteonomedolivrosempreanoteonomedolivrosempreanoteonomedolivrosempreanoteonomedolivrosempre. Repete até o ano que vem.

[Cara, cadê meus óculos?]

Cenário: Terça-feira ensolarada na cidade do Cristo. As mina pira. Enquanto a livreira arruma a estante de Literatura Brasileira, uma simpática senhora pede auxílio para encontrar um livro. Ela, claro, evidente, não sabe título, autor, nada.

Livreira: Entendo, mas a senhora sabe mais ou menos a história do livro?

FREGUESA: Não. Mas minha filha, deixa eu te contar: semana passada foi meu aniversário e eu comprei um óculos para me dar de presente. Fiz 82 anos e achei que merecia, sabe?

(Alô, alô, mudou de assunto? Freguesa tira do rosto os óculos de uma marca cara e me mostra todos os detalhes. Porém, há um certo tom de indignação na sua voz.)

LIVREIRA: Ah, parabéns. E, sim, seus óculos são bem bonitos, mas e o livr...

FREGUESA: Mas daí eu fui numa ótica para trocar as lentes e o rapaz trocou as hastes dele, olha só (mostrando a armação, que não tinha nenhum sinal de danos e estava, inclusive, com o logo da marca.)

LIVREIRA: A senhora tem certeza? Porque a armação parece ser original.

FREGUESA: Tenho sim. Quando eu comprei não tinha essas letrinhas (as letras são da marca dos óculos). Mas sabe o que é?

LIVREIRA: Hum...

FREGUESA: É uma gangue que rouba tudo nesta cidade, inclusive hastes de óculos.

Livreira: Como assim?

Freguesa: É, filha, eles retiram as hastes originais dos óculos e revendem depois no centro.

Manual Prático de Bons Modos em Livrarias:
É isso mesmo, freguesa, em caso de emergência com óculos, não hesite em procurar o livreiro mais próximo.

[À procura dos "bons drink" perdidos]

CENÁRIO: Seção infantil. Tarde de sábado. Livreira recolhe os livros espalhados pela meninada e, no meio da bagunça, encontra uma lata de suco. Sem pestanejar e olhar para trás, pega a lata e joga no lixo.

FREGUESA (três horas depois, literalmente): Moça, eu deixei meu suco aqui, você viu?

LIVREIRA: Suco?

FREGUESA: É, já faz um tempo. Meu filho estava olhando uns livros e eu acabei esquecendo meu suco aqui.

(Quem, meu bom Deus, em sã consciência, volta em uma livraria, em uma tarde de sábado, três horas depois, para procurar uma lata de suco?)

LIVREIRA: Ahhhhh. Eu joguei fora.

FREGUESA (indignadíssima): Você jogou meu suco fora?

LIVREIRA: Mas a senhora deixou ele aí, como é que eu ia saber?

FREGUESA: Eu não deixei, eu E-S-Q-U-E-C-I.

LIVREIRA: Então, eu pensei que fosse lixo.

FREGUESA: Lixo? A lata estava cheia!

Livreira: Olha, ela ainda deve estar na lixeira, você quer?

Freguesa: POR FAVOR!

(Livreira vai até a lixeira, pega a lata de suco "esquecida" pela freguesa e a entrega. Desde então, ela passou a guardar tudo o que encontra pela livraria, inclusive o bom senso perdido por algumas pessoas.)

Manual Prático de Bons Modos em Livrarias:
Quer dar uma olhada naquele livro sensacional e não sabe onde colocar aquele desagradável copo/lata/caixinha de suco/café/vitamina água/refrigerante/vodca/energético/sopa/"bonsdrink"? A gente ensina: consuma o conteúdo, jogue a embalagem fora e... HAVE FUN!

[Lanhouse-BookStore]

Freguês: Olá, boa tarde. Gostaria de encomendar um livro, por favor.

(Livreiro faz todo o processo da encomenda, sem acreditar naquele raro atendimento cheio de paz e equilíbrio natalino. Porém, a vida é uma caixinha de surpresas explosivas, não é mesmo.)

LIVREIRO: O senhor precisa de mais alguma coisa?

FREGUÊS: Se não for incômodo, você poderia consultar o cinema pra mim?

(*Oh, Wait!*)

LIVREIRO: O senhor deseja consultar se temos algum filme disponível?

FREGUÊS: Não, eu quero saber a programação do cinema. Você pode ver o que está passando no cine X ou no cine Y? Pode verificar aí no seu computador?

(Claro que podemos! Também fazemos o seu mapa astral por apenas R$ 9,90 por mês! Faça o seu cadastro agora mesmo conosco.)

Manual Prático de Bons Modos em Livrarias:

O freguês do causo acima até que foi banhado de amor e pediu para o "mocinho" verificar. Porém, não é raro encontrar gente da clientela mexendo nos computadores da livraria para acessar o Twitter, ver a programação do teatro, o endereço do motel mais próximo, entre tantas outras coisas. QUÉDIZÊ, nem pra consulta de livro é. Daí o que a gente faz? Dá na cara do freguês? Claro que não. E por quê? Porque livreiro é tudo "maravilhoso, conselêro, deus forte, pai da eternidade e príncipe da paz". Não sabe se pode usar o terminal de consulta de determinada livraria? Pergunte. Já foi dito aqui uma vez e fazemos questão de repetir: nós não mordemos e o amor rola solto.

[Dos objetos não identificados nas livrarias]

Freguês: Boa tarde, você pode me dizer o que é isso aqui?

(Livreiro olha para o objeto que o cliente está apontando e, uau, é um livro. E, digo mais, um livro do tamanho da falta de noção da freguesia, com capa, páginas e ilustrações. Mas, para que nenhuma questão fique no ar, o livreiro decide investigar ainda mais o caso com uma pergunta complexa.)

Livreiro: Isso o quê?

Freguês (apontando para o livro): Isso, moço.

Livreiro: Então, é um livro.

(Freguês ESPANTADO, pra variar, não aceita a resposta do livreiro.)

Freguês: Mas um livro deste tamanho?

Livreiro: ...

Manual Prático de Bons Modos em Livrarias:

Logo após o atendimento, o livro foi encaminhado ao IML para a família fazer o reconhecimento do corpo, porque eu, é claro, também não acreditaria em conversa de livreiro.

[Em Busca do Livro Perdido]

LIVREIRA (após perceber o desespero de um freguês, que procura algo na estante de história): Boa tarde, o senhor precisa de ajuda?

FREGUÊS: Sim, é que eu deixei um livro escondido aqui atrás e não estou encontrando.

LIVREIRA: O senhor escondeu um livro?

FREGUÊS (sem um pingo de vergonha na cara): É. Eu precisava ir almoçar e deixei ele escondidinho aqui, mas alguém deve ter tirado do lugar.

LIVREIRA: Entendo.

FREGUÊS: Entende? Eu preciso do livro, minha jovem.

LIVREIRA: Então, mas se o SENHOR escondeu, só o senhor sabe onde ele está.

(Muitos minutos depois.)

FREGUÊS: Encontrei, viu?

LIVREIRA: É mesmo? E onde ele estava?

FREGUÊS: Ali atrás, ó, no lugar que eu falei que tinha guardado.

LIVREIRA: Mas o senhor não tinha colocado na estante de história? Ali é a estante de psicologia.

Manual Prático de Bons Modos em Livrarias:
Quando você visita a casa de alguém, o jeito como os objetos são organizados é, inevitavelmente, diferente da forma como você organiza os seus. A mesma coisa acontece em uma livraria. Por mais que você não entenda a organização, existe uma e os livreiros a conhecem. Se você não pode comprar o livro naquele momento (seja lá por qual motivo), peça ao livreiro que reserve um exemplar para você (acredite, fazemos isso todos os dias). As chances de uma foto sua parar na boca do sapo (acredite, também fazemos isso todos os dias) serão nulas.

[Tempo amigo, seja legal]

CENÁRIO: Seção de psicologia. Livreira está terminando de fechar o pedido de uma freguesa quando é abordada por um senhor de meia-idade.

FREGUÊS: Mocinha, você tem muito tempo livre?

(Mantras budistas não funcionam mais. Vamos tentar a simpatia.)

LIVREIRA (toda trabalhada na simpatia): Não.

FREGUÊS: Tudo bem, vou deixar um problema matemático bem bacana para você resolver no seu tempo livre.

(Livreira, completamente perplexa, sabe que desta vez será necessário ligar para o Emergência 911, afinal, será uma história verdadeira de salvamento. Não entendeu? Digite "Emergência 911" na busca do YouTube.)

LIVREIRA: Mas eu não tenho tempo livre, meu senhor.

(Freguês pede um pedaço de papel, uma caneta e começa a escrever uma série de números.)

FREGUÊS: Veja só, você pode utilizar todos esses números, só não vale repetir. Daí o resultado tem que dar 28.

(Livreira entrega pra Cristo.)

LIVREIRA: Tá bem, vou fazer em casa, no meu tempo livre.

(Cristo devolve pra livreira.)

FREGUÊS: Quer que eu faça um pra você ver como é legal?

LIVREIRA: Não, não precisa. Pode deixar, vou tentar em casa.

FREGUÊS: Imagina! Vou fazer um só pra você ver o esquema.

Manual Prático de Bons Modos em Livrarias:
O que você faz com o seu tempo livre? Tem gente que vai ao parque dar comida aos pombos; tem gente que fica em casa assistindo *Curtindo a Vida Adoidado* e tem quem goste de ir à livraria só para ter diálogos assim conosco. Particularmente, eu prefiro o que os pombos fazem com o tempo livre deles (defecar na cabeça alheia).

[Plástico Bolha]

CENÁRIO: Para que melhor possamos atender, costumamos deixar alguns livros fechados, para que eles não sofram com o manuseio (nem sempre delicado) de nossos fregueses. Então, dia desses, uma de nossas simpáticas livreiras estava carregando uma pilha de livros para serem plastificados quando, de repente, é abordada.

FREGUESA (segurando um livro): Oi, vocês plastificam?

LIVREIRA; Sim, podemos plastificar.

FREGUESA: Ótimo. Preciso que você plastifique algo para mim.

LIVREIRA (à espera do livro a ser plastificado): Ah sim, claro.

(Após a resposta afirmativa de nossa colega, freguesa coloca o livro no balcão e começa a tirar tudo de sua bolsa. Quando a livreira pensa que será vencida pelo cansaço, eis que a freguesa tira um documento da bolsa.)

FREGUESA: Você pode plastificar meu RG, por favor?

Manual Prático de Bons Modos em Livrarias:

Papelaria não vende livro. Livraria (livraria mesmo, não megastore) não faz serviço de papelaria. Caso você veja o contrário, comece a rezar.

[Andar com Fé]

CENÁRIO: Livreiro, precisando de privacidade para fazer uma ligação pessoal, vai até o setor de livros esotéricos, afastado dos demais. Quando finalmente pega o telefone, uma senhora, nos seus 80 anos, aponta o livro *Ágape* para ele.

LIVREIRO (sorrindo e pensando "é hoje..."): Pois não?

SENHORA (sorrindo): Você é católico?

LIVREIRO (sorrindo e desejando uma morte lenta e dolorosa): Sou, sim... (Pronto, lá vai ele pro inferno, o mentiroso.)

SENHORA (obstinada): Leia essa oração. É boa. É só pedir pra mãe ir na frente. "Mãezinha, vai na frente. Mãezinha, vai na frente." (Fechando os olhos e empurrando algo imaginário com a mão.) Eu tenho 80 anos e sou saudável, então dou este livro de presente, com o dinheiro que gastaria com remédios, médicos. Eu já dei pra minha gastro, pro endócrino, pra ginecologista, pro pneumologista (saudável? oi?).

Livreiro (não conseguindo demonstrar nada além de espanto): Ah, sim...

Senhora (séria): É verdade. E eu não sou fanática. Mas eu dei 20 destes de presente e hoje vou levar mais dois. E eu não sou fanática, mas eu tenho problema de gases (aperta a barriga). Um dia eu coloquei o livro na barriga e pedi pra mãezinha ir na frente (???) e pronto, resolveu.

Livreiro (imaginando peidos, estouros, explosões, o apocalipse e tudo mais): É... Incrível...

(Silêncio constrangedor, enquanto a senhora se dirige ao caixa, mas não sem antes fazer a pergunta "você é católico?" para outro livreiro.)

Manual Prático de Bons Modos em Livrarias:
Ágape, segundo a Wikipédia (em grego "αγάπη", transliterado para o latim "agape") é uma das diversas palavras gregas para o amor. Basicamente é isso, a gente ama diálogos assim. Por favor, mantenham a qualidade. Agradecemos desde já.

[Rebobine, por favor]

Freguesa: Oi, você trabalha aqui?

(Veja bem, era uma senhorinha de idade pra lá de fofa. Gentileza gera gentileza e Carla Perez gera samba.)

LIVREIRA: Oi, trabalho.

FREGUESA: Posso te fazer uma pergunta?

LIVREIRA: Claro.

FREGUESA: Você sabe se aqui vende aquelas fitas VHS para gravar em filmadora antiga?

(Fita VHS? Filmadora antiga? Estamos nos anos 90? De volta para o passado? Uepa!)

LIVREIRA: Não, não vendemos.

FREGUESA: Ah, sim. E você sabe se vende em algum lugar aqui perto?

(Não, não há sebos/brechós perto da livraria onde eu trabalho. Mas, olha, confesso que eu daria um braço pra sair à procura de fitas VHS com aquela senhorinha.)

LIVREIRA: Então, sinceramente, não faço a menor ideia.

FREGUESA: Ah, sim. Posso perguntar pra outra pessoa da loja se aqui vende as fitas? Você tem certeza que não vende?

(Quem é que vai confiar em uma pessoa como eu, não é mesmo?)

FREGUESA: Olha, eu tenho certeza, mas a senhora pode perguntar para outra pessoa sim. Fique à vontade.

(E não é que ela foi?)

Manual Prático de Bons Modos em Livrarias:
Fregueses de idade, abocanhando meu ♥ since ever.

[Será que ele é?]

CENA: Sábado de carnaval em agosto. Aê! Pura folia. Livreiro atarefadíssimo, com milhares de livros para guardar, cliente para atender, e-mails para responder, faxes para arquivar, entre outros. Num momento de aparente calma, resolve guardar livros de ficção científica, para aliviar os balcões e repor as compras das fãs apaixonadas de vampirinhos. Enquanto guarda, começa a ouvir um assobio e, ao olhar para o lado, vê um senhor idoso, todo bonachão.

FREGUÊS (depois de terminar de assobiar): É o canto do Uirapuru, que só canta uma vez por ano.

(Oi? Oi, vem cá, alguém perguntou alguma coisa? Livreiro, atônito, continua guardando os livros. O idoso, aquele danado, todo malicioso, não satisfeito, pega um livro de uma mesa qualquer e mostra a capa ao livreiro.)

FREGUÊS: Hm. "Elas". Alguns gostam DELAS, mas outros gostam DELES, não é?

(Livreiro, todo trabalhado na sinceridade, não deixa barato.)

LIVREIRO: Eu gosto deles.

(O idoso, que já estava próximo à saída da loja, sorri e vai embora. Livreiro sente que, muito em breve, o freguês voltará com um buquê de flores vermelhas. Hum.)

Manual Prático de Bons Modos em Livrarias:
Convites para jantar, caixas de bombom, aperto na bochecha, recadinhos de amor e por aí vai. Quem trabalha em livraria sabe que um freguês apaixonado é capaz de qualquer coisa para ganhar o coração do(a) livreiro(a) alvo. A gente agradece o carinho, mas no nosso ambiente de trabalho, não. Esperamos vocês na saída. Beijo.

[Bicho Grilo]

FREGUESA: Moça, você pode me ajudar com a indicação de um livro?

LIVREIRA: Claro. O que você gosta de ler?

FREGUESA: Então, eu gostaria de uma leitura fácil com uma história marcante.

GRILOS: Cri Cri Cri Cri.

***

FREGUÊS: Moça, eu gostaria de alguma indicação de livro pra ler.

LIVREIRA: Hum, certo. O que você gosta de ler?

FREGUÊS: Hum... Não sei te dizer.

LIVREIRA: Qual foi o último livro que você leu?

FREGUÊS: Não lembro.

LIVREIRA: Você já leu algum livro na vida?

FREGUÊS: Já.

LIVREIRO: Qual?

FREGUÊS: Não sei.

GRILOS: Cri Cri Cri Cri.

***

FREGUESA: Eu gostaria de um livro para o meu filho, ele é superdotado.

(Superdotado? Tá, seu filho e o de todas as outras que frequentam a livraria.)

LIVREIRA: O que ele já leu?

FREGUESA: A coleção inteira do *Diário de Um Banana*.

LIVREIRO: E quantos anos ele tem?

FREGUESA: Dez.

GRILOS: Cri Cri Cri Cri.

Manual Prático de Bons Modos em Livrarias:
Não deixe o livreiro e os grilos sozinhos. Conte uma piada, enriqueça a conversa. A gente ama.

[Liga pra mim, não demora]

FREGUESA: Olá, eu queria um desses livros que estão na moda, aqueles de fazer pulseira, sabe? Ele vem com uns fios assim, assado.

(Livreira pega uns "desses livros que estão na moda" e mostra para a freguesa.)

FREGUESA: Não. Não é nenhum destes, mas é da mesma marca ("marca"). Nós vimos nos Estados Unidos, mas não encontramos de jeito nenhum aqui no Brasil.

(Livreira, já com preguiça do diálogo que sabe que será travado logo mais, procura no site da editora e encontra o tal livro. No entanto, deixa claro que não é comercializado pela livraria.)

FREGUESA: Ah, e você sabe onde eu posso encontrar?

LIVREIRA: Então, talvez em outra livraria, de outra rede. Talvez na **Livraria Y**.

FREGUESA: Será? E tem como você entrar no site da **Livraria Y** e pegar o telefone deles pra mim?

LIVREIRA (incrédula): Você quer que eu entre no site da **livraria Y** e anote o telefone pra você?

FREGUESA: Isso!

LIVREIRA: Desculpe, mas não posso.

FREGUESA: Ah, moça, não precisa ligar. É só pegar o telefone que eu ligo do meu celular.

(Carão.)

Livreira: Tá certo.

(Livreira anota o telefone da **Livraria Y** para a freguesa, que tenta confirmar se na concorrência o livro é comercializado. Enquanto aguarda a resposta, a mesma freguesa lembra que precisa entrar no auditório, pois ali será realizado um curso no qual ela está inscrita.)

Freguesa (empurrando o aparelho celular para a livreira): Moça do céu! Fica aqui com o meu celular e vê aí o que eles respondem. É que eu preciso entrar para o curso que vai começar agora. Pode ficar com o telefone, depois você me devolve.

Manual Prático de Bons Modos em Livrarias:
Pedir a um livreiro que verifique o endereço/telefone da concorrência é tão deselegante quanto mastigar de boca aberta. Outra deselegância telefônica? Pedir para usar o aparelho porque só "fulano x" sabe qual é o nome do autor ou da editora do livro que você precisa. Rir para não cortar os pulsos será para sempre o nosso lema.

[Trollando o Namorado]

FREGUESA: Moça, fora todos esses (apontando para um catálogo), existe mais algum da coleção "Os Karas", do Pedro Bandeira?

LIVREIRA: Não, não tem. É pra você?

FREGUESA (envergonhada): Não, é pro meu namorado (que estava ao lado da freguesa).

NAMORADO DA FREGUESA (e seus 25 e poucos anos): EU JÁ LI TODOS.

FREGUESA (envergonhada, mas sem deixar a grosseria escapar entre os dedos, rebate): Meu bem, cê quer uma medalha por isso?

(Livreira acompanha tudo em silêncio, sem mover um único músculo do rosto. Tenso.)

Manual Prático de Bons Modos em Livrarias:
Depois você não sabe o porquê de estar aí *forever alone* no dia dos Namorados, né? Campanha "Deixe seu amor ler o que ele quiser".

[Globalização, a gente vê por aqui]

Cenário: Livraria prestes a encerrar as suas atividades. Como vocês sabem (ou deveriam saber), final de expediente é aquele momento em que os fregueses adoram testar a nossa simpatia. Para não fugir à regra, um casal surge no local à procura de muita confusão. Livreira, na tentativa de não estender o seu horário de trabalho, resolve abordar a freguesia.

Livreira: Olá, precisam de ajuda?

(O casal se entreolha e permanece em silêncio. Livreira, acostumada com os turistas estrangeiros, que passeiam pelo centro de São Paulo, tenta um novo *approach*.)

Livreira: *Speak English?*

(Silêncio.)

Livreira: *Parlez-vous français?*

(Silêncio.)

Livreira: *Sprechen deutsch?*

(Silêncio.)

Livreira: *Parla italiano?*

(Silêncio, mais uma vez. *Senõr!* Será que devo perguntar em LIBRAS? Livreira, que não consegue arrancar um sorriso sequer dos fregueses, no desespero, solta em língua pátria.)

LIVREIRA: Afinal, que língua vocês falam?

(O freguês, aparentemente aterrorizado, meio sem jeito, responde.)

FREGUÊS: Ér, português?

(Hahahahahaha.)

Manual Prático de Bons Modos em Livrarias:
Só eu acho que o grego deveria ser adotado como língua oficial em todas as livrarias, bibliotecas e sebos deste meu Brasil?

[Livros Porcaria]

FREGUESA: Moça, onde fica a estante de livros porcaria?

(*Ma che!?* Quer dizer que criaram uma estante só para os livros da Stephenie Meyer e eu não fui avisada? Veja você. Brincadeira, amo Stephenie, amo fãs de vampiros juvenis, amo tudo, amo todos, sou *hippie.*)

LIVREIRA: Como assim?

FREGUÊS: Ah, desses livros que não prestam.

(HAHAHA. Meu Deus, como é que ninguém teve a sagacidade desse freguês para criar uma estante só para isso?)

LIVREIRA: Olha, me fala o que você procura.

FREGUÊS: Então, os livros da Bruna Surfistinha.

(Também amo Bruna. SQN.)

Manual Prático de Bons Modos em Livrarias:
É assim, fregueses, que vocês ganham uma paixão platônica livresca.

[Dom Casmurro e a Geração Y]

FREGUESA: Moça, você tem Dom Casmurro?

LIVREIRA: Temos sim, de qual editora você quer?

FREGUESA: Tanto faz, é pro vestibular.

("Tanto faz". Livreira vai até a estante de Literatura Brasileira, pega algumas edições do livro e entrega à freguesa.)

FREGUESA: Nossa, mas *este aqui* é muito velho.

(Oremos.)

LIVREIRA: Olha só, a edição é antiga, mas o texto é o mesmo *deste aqui*, por exemplo.

FREGUESA (pegando uma edição mais recente): Ah, mas *esta edição* parece mais moderna, para os vestibulares de hoje em dia.

(Alguém, por favor, explica? "Mais moderna para os vestibulares de hoje em dia", oi? Explica, por favor, porque foi nesse exato momento que imaginei as ruas de Copacabana, o Cristo Redentor e os botecos da Lapa gritando o meu nome.)

LIVREIRA: ...

FREGUESA: O que você acha, moça?

LIVREIRA: Você quer o livro para o vestibular, certo?

FREGUESA: Isso.

LIVREIRA: Então, tanto faz (rá, te peguei!). Você precisa do texto integral, só isso. Alguns têm informações para vestibulandos, o que tanto faz também.

FREGUESA: Ahhh... e qual é o mais barato?

(Tava demorando, senhor, tava demorando.)

Livreira: Existem as edições de bolso, que são bem mais em conta.

Freguesa: Ah, as resumidas, né?

(Gente, de onde vocês tiraram a ideia de que livro de bolso é resumido? Contem pra mim, vai.)

Livreira: Não, o texto é integral.

Freguesa: Mas os livros são tão pequenos, impossível que caiba tudo lá.

(Livreira desiste da missão e deixa a freguesa levar a edição moderna para os vestibulares de hoje em dia.)

Manual Prático de Bons Modos em Livrarias:
A gente ensina lá no blog como comprar um livro publicado por diversas editoras, né? Pois bem, não vamos ensinar de novo. Outra coisa, antes de prestar vestibular ~~e não ser aprovado~~, por gentileza, pela humanidade, aprendam a ler as sinopses, que geralmente ajudam no momento da escolha de uma obra.

2.1 Alô, Mirtes

Você aí, amigo freguês, que costuma bater o pezinho, fazer bico e olhar feio enquanto o livreiro está em uma ligação, foco aqui: A maior parte dos livreiros tem pavor de telefone. Sim, porque nem bem a livraria abriu suas portas e ele já está tocando, incansavelmente, como se a nossa paciência não tivesse limites. Meu Deus. Se pudéssemos, praticaríamos o amor somente ao vivo e a cores, e não com um aparelho atravessando todo o nosso querer. Mas, enquanto isso não é possível, o telefone continua tocando e a gente, claro, continua atendendo: *Alôr*?

[Dicionário de Mitologia]

Livreira: Livraria X, boa tarde.

Freguesa: Boa tarde, é da seção de Mitologia?

Livreira: Oi, boa tarde. Não, mas eu posso ajudar a senhora.

Freguesa: Ai, filha, sabe o que é?

(Não sei, não quero saber e cadê vontade de saber?)

Livreira: Hum.

Freguesa: Então, estou procurando um dicionário de Mitologia, mas não lembro qual é.

Livreira: Hum.

Freguesa: Você pode olhar os que têm aí na livraria e separar todos que tiverem a palavra "centauro". Daí mais tarde eu dou um pulo aí para dar uma olhada.

Manual Prático de Bons Modos em Livrarias:
Sim, senhoras e senhores, trata-se de um novo sistema de busca. Não lembra o nome do livro que tem aquele trecho maravilhoso, incrível, que você quer comprar só para copiar e colar no Facebook? Ora, a gente procura. Olhamos livro por livro só para você ter esse momento de diversão entre os amigos. Liga pra gente, liga.

[Piratas da Livraria]

LIVREIRA: Livraria X, boa tarde.

FREGUESA: Boa tarde, filha (*filha!*). É o seguinte: eu comprei um DVD aí, mas eu coloquei no meu aparelho e percebi que ele é pirata.

LIVREIRA: Pirata? Mas a senhora comprou ele aqui mesmo?

FREGUESA: Sim.

LIVREIRA: E o DVD estava lacrado?

FREGUESA: Anhã.

LIVREIRA: Espera, explica melhor, não estou entendendo.

FREGUESA: Então, eu coloquei o DVD no meu aparelho e apareceu a seguinte mensagem: "Essa é uma cópia original..." e eu não quero uma cópia, eu quero o DVD original, entende?

Manual Prático de Bons Modos em Livrarias:
Fregueses, vocês combinam isso tudo entre vocês, falem a verdade.

[Alô, é do psiquiatra?]

LIVREIRA: Livraria X, boa noite.

FREGUESA: Livraria X? Não é da Livraria Y?

LIVREIRA: Não, a senhora ligou na Livraria X.

FREGUESA: Impossível, eu disquei o número da Livraria Y.

LIVREIRA: Então, mas aqui é da Livraria X.

FREGUESA: Então é engano, vou ligar na Livraria Y.

LIVREIRA: Tudo bem.

FREGUESA: Você tem o telefone?

LIVREIRA: De quem?

FREGUESA: Da Livraria X.

LIVREIRA: Mas a senhora já está falando na Livraria X.

FREGUESA: Ah.

Manual Prático de Bons Modos em Livrarias:
Também temos no nosso mural de funcionários o telefone de um psiquiatra que é do balacobaco, minha senhora.

[Gente Normal]

CENÁRIO: Contrariando as expectativas de muita gente que lê o blog, trabalhar em uma livraria não consiste apenas em atender uma freguesia muito louca de bala e sentir vontade de morrer quando alguém pede "Raízes Abertas do Brasil" (*Raízes do Brasil* + *As Veias Abertas da América Latina*). Não, senhoras e senhores, além de carregar pilhas de livros para lá e para cá, brincar de caça ao tesouro quando alguém resolve tirar algo do lugar, perder sábados, domingos e feriados, o livreiro precisa estar disponível e ser solícito o tempo todo, mesmo quando o bonde da gripe te pega e o telefone toca.

LIVREIRA: Livraria X, boa tarde.

Freguês: Oi, eu queria o livro HERKJE3PADKE.

(Livreira, que está sem voz há quase dois dias, pede para a freguesa falar mais alto.)

Freguês: Então, eu queria o livro AOADAFEFS-FDGK

(Pronto. Agora além de parcialmente muda, a livreira também está surda, produção?)

Livreira: Senhora, desculpe, mas não consigo entender o que a senhora está dizendo...

Freguesa: MINHA FILHA, QUEM NÃO ESTÁ ENTENDENDO SOU EU. QUE VOZ É ESSA? DÁ PRA VOCÊ PASSAR O TELEFONE PRA ALGUÉM QUE SEJA **NORMAL**?

Manual Prático de Bons Modos em Livrarias:
Claro, até porque ser normal, hoje em dia, é não ter educação nem na fila de recarga do bilhete único. Parabéns, fregueses, vocês me matam de orgulho. Tsc.

[Festa das Nações]

Domingo pós-feriado e a livraria em ritmo de Beto Carreiro World (está permitida a interpretação livre). Para ajudar no climão maneiro, o telefone, esse objeto inventado no inferno, não para de tocar. Entre um atendimento e outro, a livreira puxa a ligação.

LIVREIRA: Livraria, boa tarde.

FREGUESA: Boa tarde, preciso de um livro de bolso para dar de presente.

(Amo/Sou gente que presenteia com livro de bolso. Tão baratinho, né? Tão jeitosinho, né? Claro, nenhum problema com livros pequenos e mais baratos, mas todos os problemas do mundo com gente "gasto dinheiro com feijoada enlatada, mas não gasto com livro". De qualquer forma, livreira indica e fala sobre *A Insustentável Leveza do Ser*.)

FREGUESA: Tá, pode ser. Você pode me indicar mais dois?

(Livreira, então, indica *Lolita* e *As Boas Mulheres da China*.)

FREGUESA: Ah, ótimo. Agora só preciso que os autores desses livros sejam português, espanhol, italiano, alemão e inglês.

("Agora só preciso que os autores desses livros sejam português, espanhol, italiano, espanhol, alemão e inglês." Minha senhora, o quê é isso, Festa das Nações? E falar antes para quê, né, freguesia? Resposta: Paraguaio.)

LIVREIRA (segurando a respiração para tentar desaparecer): Olha, o Nabokov, autor de "Lolita", era russo e a Xinran, de "As Boas Mulheres da China", é chinesa.

FREGUESA: E o autor do outro livro que você me indicou?

LIVREIRA: A nacionalidade do Milan Kundera? Sei não.

FREGUESA: Espera, menina. Espera porque eu tô com o Google aberto aqui.

(A senhora me jura que pensou no Google só agora? A senhora está de deboche ou a senhora está de deboche? Pois bem, cinco minutos depois, a freguesa parece ter encontrado a resposta para a sua própria pergunta.)

FREGUESA: Moça, ele deve ser erudito. Tá escrito aqui na internet que a família dele é ERUDITA.

Manual Prático de Bons Modos em Livrarias:
Querido freguês, quando você quiser saber mais sobre determinado escritor, recomendo o site da editora que publica as obras do sujeito ou até mesmo o site do próprio autor. Acredite, é mais seguro do que acreditar na Wikipédia, que vive espalhando por aí que todo mundo é erudito. Vê se pode...

[Raimen]

LIVREIRA: Livraria X, boa noite.

FREGUÊS: Oi, Cláudia!

(Quando o freguês inventa um nome para você é porque a conversa vai ser BOUA.)

LIVREIRA: Pois não?

FREGUÊS: Então, Cláudia, estou procurando um filme, aquele "O Gladiador" com o ator Himan [pronúncia do freguês: "raimen"].

LIVREIRA: Olha, eu tenho o filme *Gladiador* com o Russell Crowe, é esse?

FREGUÊS: Mas esse tem o Himan?

(Não, meu senhor, o "Himan" casou com a Mulher Maravilha e zerou os relacionamentos amorosos no mundo dos desenhos animados.)

Livreira: Não, não tem.

Freguês: E, Cláudia, você sabe qual é a diferença entre os dois?

(É muita Cláudia pra pouca cadeira, vou te contar.)

Livreira: Sinceramente, eu não tenho ideia do que seja "Himan", mas se o senhor quiser, eu deixo reservado o do Russell Crowe, ok?

Manual Prático de Bons Modos em Livrarias:
Quando eu era mais nova e me sentia deprimida, ligava para um certo provedor de internet para tentar cancelar a assinatura. Daí eles me faziam acreditar que eu era importante e eu desligava o telefone com o ego lá em cima e mais dois meses de internet gratuita. ALOFREGUÊS: está se sentindo triste? Abandonado? Carente? Entediado? Deixe disso! Ligue para nós. Somos melhores do que o CVV, pode apostar.

[A sutil arte de travar uma conversa psicodélica com um freguês via telefone]

Livreira: Livraria X, boa tarde.

Freguesa: Alô? Alô, boa tarde, eu gostaria de devolver as fitas (K7) de um curso, pois elas vieram com defeito.

Livreira: Defeito? Qual é o problema delas? Elas estão apagadas?

Freguesa: Sim, estão faltando as lições X, Y e Z.

Livreira: Tudo bem, a senhora pode trazer aqui na livraria e a gente faz a troca. Deixa eu fazer uma pergunta: só toca um lado da fita, certo?

Freguesa: Um lado? E tem que virar a fita?

Manual Prático de Bons Modos em Livrarias:
Nostalgia, a gente vê por aqui.

2.2. Lista de Compras

"Já me perguntaram se vendia ferramentas. Sério, dessas que papai usa para consertar encanamento em casa, na base da marginalidade e falta de conhecimento mesmo. E daí que o cidadão perguntou: "aqui não é o lojão vende tudo?", e eu, pasma: "não, moço, aqui é uma livraria..." – **Nina Vieira**

"Tinha uma mulher que toda semana comprava uma tesourinha. Chegava lá, pedia tesoura, levava e voltava na outra semana pra comprar outra. Nunca descobrimos o que ela fazia com essas tesouras e tememos a verdade que poderia vir à tona." – **Tai Ramos**

"Uma vez me pediram pasta de dentes. Acredite. Eu tive um cliente que TODOS os dias entrava na livraria às dez da manhã e tirava a escova de dentes da bolsa, colocava a pasta e começava o processo. Um dia, ele esqueceu a pasta e..." – **Letícia Werneck Streithouse**

Duvidam dos relatos acima? Aqui, uma lista com os itens absurdos que já pediram para nós, livreiros:

- Aparelho nasal;
- Crédito para celular;
- Telesena;
- Remédio para dor de cabeça;
- Preservativos;
- Sabonetes;
- Cadeado;
- Ficha de orelhão (2008);
- Espada;
- Telescópio;

- Palitinhos de sorvete;
- Aparelho celular;
- Forma de bolo;
- Cinta do Dr.Ray (HAHAHA);
- Pilha;
- Tesoura;
- Guardanapo para bordar;
- Camiseta de time de futebol, feminina, tamanho M;
- Aspirador de pó;
- Capa para proteger computador da poeira;
- Aparelho de som para carro;
- Gelo seco;
- Álcool em gel;
- Pipoca de microondas;
- Tomada;
- Pincel e creme de barbear;
- Escova e pasta de dente;
- Caixa de ferramentas;
- Pen drive com músicas baixadas;
- Papel de parede para computador;
- Papel higiênico com estampa natalina;
- Ampulheta;
- Pulseira de couro;
- Amor.

Parte III

Freguesia

1. TIPOS DE FREGUESES

Certa vez escrevi no blog sobre aquele tipo de freguês que faz questão de tirar o livreiro do foco para pedir uma sugestão de leitura, pede opinião de todos os que estão por perto, e acaba não levando nada. Acreditem: sou da mesma laia quando encarno a freguesa de livraria. Sim, eu sei o que não quero, mas não sei o que quero e acabo dando o maior trabalhão! E você, que tipo de freguês é?

Perdido: É aquele freguês que entra na livraria sem saber ao certo onde está. Ou, se sabe, não faz ideia do que está fazendo ali. O que é uma livraria? De onde ela veio? Para onde ela vai? Aconteceu uma vez: freguesa adentra a loja, percorre as estantes com os olhos, caminha, observa as pessoas, os funcionários, circula pelo lugar mais um pouco até que resolve abordar o livreiro: "Moço, vocês vendem pasta de dente?". Ante a resposta negativa, emenda outra pergunta: "E escovas?".

Indeciso: Ele sabe que está em uma livraria, que quer um livro, mas demora um pouco para decidir qual, entre dezenas de opções e sugestões, irá levar. Entra nesta categoria o freguês que adora parar em frente a bancada de lançamentos para pedir para o livreiro contar a história de todos os livros ali disponíveis. Não, freguesia, infelizmente nós não lemos todos os títulos que estão disponíveis na livraria.

Meio Preciso: Ele quer um livro de arte, mas não pode ser barato e se for muito caro, ele não compra; ele quer um romance, mas não pode ser antigo e se for muito novo, não o interessa; ele quer um lançamento, mas não pode ser da semana passada, tem que ser um que sequer foi lançado ainda. São muitas as restrições. Ele sabe o que quer, mas algo, muito maior do que ele, o impede.

Amigo: Amo a freguesia que vira camarada. É numa conversa que você descobre a mesma preferência literária, a mesma paixão por determinado escritor, as mesmas manias durante a leitura. O freguês amigo te descobre e vice-versa. Quando ele retorna à livraria, te procura e se ele não aparece por algumas semanas, você se preocupa. É comum também o nascimento de um clube do livro de dupla: ele te indica, você indica, vocês discutem e se amam para sempre.

Mania de Perseguição: Ele entra na livraria e acha que o sistema de segurança está monitorando todos os seus passos. No nervosismo, pega qualquer livro e começa a tentar ler. E fica na tentativa, pois a cada duas palavras, para e verifica se ninguém está olhando. Se precisa de ajuda, sussurra, como se estivesse fazendo uma pergunta absurda. No final das contas, acaba comprando qualquer coisa, só para mostrar que não estava ali "a passeio" (leia-se "para roubar algo").

Carente: Não só te aborda para pedir um livro, como também conta todo o porquê de estar comprando. E fala da esposa, do filho, da luta diária pela sobrevivência, do colégio das crianças, das férias frustradas, do transporte cheio, fala, fala, fala. Certa vez, uma freguesa, antes de pedir o livro, me contou toda a história de sua filha que estava na China e pedia mensalmente para ela mandar alguns mimos e livros em português. Quando eu disse que, sim, nós tínhamos o livro que ela procurava há semanas para enviar para a filha, respondeu: "Não sei se eu choro ou se te dou um abraço". Achei melhor oferecer meu melhor abraço, vai que...

Dono da Verdade: Embora sejam raros, costumam aparecer de vez em quando para deixar todo mundo de cabelo em pé. "Moça, onde ficam os livros com histórias bíblicas?" "Olha, nós não temos muita coisa, você procura algum específico?" "Sim, é um livro de capa azul, mas eu não lembro o título". Vou até o terminal de consulta, abro uma página de pesquisa na internet e jogo na busca as palavras "histórias bíblicas" e "livro". Surgem na tela alguns livros de Mitologia Grega e eu explico para a freguesa que nenhum deles é de histórias da Bíblia. "Então, foi exatamente isso que eu pedi, mocinha, um livro de Mitologia". "Não, a senhora..." "EU SOU ESCRITORA, EU SEI O QUE EU QUERO, EU SEI O QUE EU PEDI". Sandálias da Humildade, cadê?

Dibowie/Tranquilão: Transforma a livraria no quintal de casa e só falta abrir uma cadeira de praia, enquanto espera ser atendido. Para o freguês tranquilão ou "dibowie" não existe tempo ruim. O livro está esgotado? Ele sabe que existem trocentos sebos espalhados pelo planeta. Livreiro não encontrou o livro porque algum freguês escondeu? Não tem problema, ele volta outro dia e compra. O telefone está tocando e todo mundo está ocupado? Ora, ele atende pra você.

Creizes: Entra nesta categoria aquele tipo de freguês que entra na livraria, vai até o café, olha para os dois lados, deita, faz 10 flexões, levanta e vai embora. Sim, trata-se de um caso verídico.

Livreiros Wannabe: Se eles pudessem, não só trabalhariam na livraria como também topariam não receber nada por isso. Eles também batem ponto diariamente no nosso local de trabalho e fazem questão de sugerir livros, opinar sobre determinada indicação do livreiro, entre outras coisas. Tem freguês que é tão livreiro *wannabe* que só sai da loja após todos os funcionários deixarem o local.

2. A VEZ DO FREGUÊS

Teve aquela vez que o freguês queria uma biografia, mas eu, sem entender o nome, insistia na pergunta "que ator, senhor?". Teve também aquela outra freguesa que tentou comprar *O mal-estar na civilização* e quase não conseguiu porque o livreiro não estava conseguindo encontrar o título na seção do Zygmunt Bauman. Mas a minha história favorita continua sendo a da livreira que respondeu "a altura do Harry Potter varia de acordo com o livro da série", quando uma outra livreira perguntou qual era a autora do bruxo. Pois bem, quem nunca passou sufoco com algum livreiro que simule desmaio agora ou pare de mentir para sempre. Sabemos que também pisamos na bola, mas tentem entender: o delírio, ah, o delírio é contagioso.

[A ordem das estantes altera o passarinho]

FREGUESA: Moça, boa tarde, onde ficam os livros do Sidney Sheldon, da Agatha Christie...

(Livreira, sem pensar duas vezes, sorri e responde.)

LIVREIRA: Você pode me acompanhar? Os livros de VAMPIRO ficam por aqui.

[Meu amigo Tatu Bola]

Freguês: Opa, tudo bem? Tem aí livro sobre tatu?

Livreiro: Olha, pode ser que na seção de agropecuária tenha alguma coisa.

Freguês: É tatu de tatuagem, moço, não tatu de bicho.

[Cinquenta Tons de Cólera]

Vítima: Pedro

Freguês: Boa tarde, moça! Você tem algum exemplar d'*O Amor nos Tempos do Cólera*, do Gabriel García Márquez?

(Livreira digita o título no terminal de consulta e, ao mesmo tempo, puxa assunto com o freguês.)

Livreira: Você gosta de histórias de amor?

Freguês: Ah, até gosto, mas esse vai de aniversário pra minha cunhada.

Livreira: Então, pelo que estou vendo aqui, não tem esse que você me pediu. Você procura por outro título específico?

Freguês: Hum, nenhum que eu lembre. Você tem alguma sugestão?

Livreira: Como você está atrás de romances, por que não leva o *Cinquenta Tons de Cinza*?

(Peça García Márquez e ganhe em troca E. L James. *Fair enough.*)

Freguês: Ah, não sei se esse é o tipo de livro que eu daria de presente.

(Freguês disfarça sarcasmo com puritanismo.)

Livreira: Qual livro você daria de presente?

Freguês: *O Amor nos Tempos do Cólera.*

Livreira: Ué, não dá no mesmo?

Freguês: ...

[AODI CEIA]

Freguesa: Por favor, tem a *Odisseia*, do Homero?

(Livreira vai até o terminal de consulta, digita alguma coisa e pede para a freguesa repetir o nome do livro.)

Freguesa: Claro, *Odisseia*, do Homero.

(Ao olhar para a tela do terminal de consulta, freguesa percebe que livreira está digitando "AODI CEIA".)

[Fahrenheit, 11 de Setembro]

Vítima: Jade

Freguesa: Oi, por favor, tem *Fahrenheit 451*?

Livreiro: Acho que tem. Do Michael Moore, né?

Freguesa: Não, eu esqueci o nome do autor...

Livreiro: É do Michael Moore sim!

Freguesa: Não, moço, não tem nada a ver com o 11 de Setembro.

Livreiro (no terminal de consulta, digita "Firenhait"): Assim?

Freguesa: Acho que é com A

Livreiro: Não é "firenhait" de "fogo"?

Freguesa: Não, é de escala de temperatura.

(Meio contrariado, livreiro encontra o livro e sai resmungando pro colega.)

[The Kooks]

Vítima: Ana Beatriz

Freguesa: Oi, boa noite, vocês têm alguma coisa do The Kooks?

LIVREIRO: Senhora, esse setor não é comigo.

(Meu querido, mas você está na área dos CDs, olhando para os CDs, e acabou de achar um CD do Luan Santana pra moça que acabou de sair.)

FREGUESA: Como não?

LIVREIRO: Culinária fica lá do outro lado da livraria, ó.

[Serve outro refrigerante?]

FREGUESA: Oi, eu queria dar uma olhada nos livros sobre o autor que estudo no mestrado. Teria como você consultar pra mim? O nome dele é Wittgenstein.

(Livreiro mostra na tela os livros e verifica que não há nenhum deles disponível na livraria. Tudo bem, normal, sem problemas, afinal, Wittgenstein não é assim tão fácil de achar.)

LIVREIRA: Você não quer dar uma olhada nos livros do Heidegger? Do Heidegger a gente têm.

FREGUESA: Hum, não, obrigada, deixa pra outro dia. Por enquanto vou continuar estudando o Wittgenstein mesmo.

[Ator, quem?]

Livreira envolvida: Hillé

FREGUÊS: Moça, você tem aí a "Biografia do Ator"?

(Certa de que seria outro livro do Stanislavski, e de já ter visto o dito cujo na estante de teatro, livreira pede um momento e vai consultar o sistema. Para sua surpresa, não encontra.)

LIVREIRA: Senhor, o título é esse mesmo?

FREGUÊS: Não sei, mas tem "Ator" no nome, tenho certeza.

(Ai, moço, assim você não me ajuda. Quem me ajuda na vida? Alá, o livreiro amigo que manja tudo de ator, cinema e teatro.)

LIVREIRA: Livreiro, você pode me ajudar, esse moço quer "A Biografia do Ator", mas não encontro no sistema nem no Google.

LIVREIRO (perguntando para o freguês): O senhor lembra alguma coisa do título?

FREGUÊS: Sim, eu falei pra ela... tem o nome dele "Artaud", é uma biografia.

Livreiro: AHHH, ARTAUD. ANTONIN ARTAUD.

(Hillé, minha filha, você está de: parabéns! Livreiro pega o livro, entrega para o freguês e emenda.)

Livreiro: Agora quero ver você colocar no blog.

(Tá lá e aqui.)

[Sartre Non Ecxiste]

Vítima: Carol

Freguesa alegre, serelepe e pimpona decide aproveitar o horário de almoço em uma livraria-tipo-sebo próxima ao seu trabalho. Mal entra no lugar e o moço livreiro oferece ajuda.

Freguesa: Sim, estou procurando *O Ser e o Nada*, do Jean-Paul Sartre.

Livreiro: Ah, esse livro não existe.

(Ai, gente, ai que dor aqui do lado esquerdo do peito.)

Freguesa: Olha, talvez não tenha no seu acervo, mas esse livro existe, moço.

Livreiro: Você poderia soletrar o nome do autor para mim? É que esses livros complicados eu realmente não conheço.

[Weber também não]

FREGUESA: Boa tarde, vocês têm o livro *Economia e Sociedade* do Max Weber?

(Livreira prontamente digita as informações fornecidas pela freguesa e nada encontra.)

LIVREIRA: Olha, não consta nenhum livro com esse título.

FREGUESA: Não? Mas é um clássico da Sociologia. Dá mais uma olhada, por favor.

(Digita, digita, digita, nada. Digita, digita, digita, nada. Digita, digita e freguesa observa a livreira ficando cada vez mais brava, vermelha e sem paciência.)

LIVREIRA: Não, nada.

FREGUESA: Moça, se acabou, não tem problema...

LIVREIRA: É QUE ESSE LIVRO NÃO EXISTE.

(Véééééééééésh.)

FREGUESA: Como eu ia dizendo, se acabou, não tem problema; mas dizer que o livro não existe, já é demais.

(Inconformada, livreira vira o monitor para a freguesa e afirma, novamente, que o livro nunca havia sido publicado.)

FREGUESA; Então, se você trocar o *Marx Veber* por *Max Weber*, talvez você encontre.

(Uma rodada de suco de climão pra galera!)

[Padre Paulo]

Livreira envolvida: Hillé

FREGUESA: Moça, qual é o nome do último livro do Paulo Coelho? É um que vai virar filme.

LIVREIRA: *Ágape.*

FREGUESA: *Ágape*? Acho que não, viu, moça.

LIVREIRA: Você não quer o último? Então, é o *Ágape.*

FREGUESA: Mas o *Ágape* não é do...

LIVREIRA: AH! É VERDADE! O NOME DO LIVRO É *O ALEPH*!

[Nando People for Dummies]

VÍTIMA: Carolina

FREGUESA: Boa noite, os heterônimos do Fernando Pessoa estão agrupados em Fernando Pessoa ou cada um está em uma estante, respeitando o sobrenome?

(Depois de um momento de silêncio, eis a resposta.)

LIVREIRO: Fernando Pessoa está em poesia.

FREGUESA: Isso eu já imaginava, mas os seus heterônimos estão classificados como Fernando Pessoa ou como um autor diferente?

LIVREIRO (insistente): Fernando Pessoa está em poesia.

FREGUESA (já sem paciência, óbvio): Alberto Caieiro, Ricardo Reis e Álvaro de Campos estão, na estante, junto com Fernando Pessoa?

LIVREIRO: Fernando Pessoa está em poesia (digita o nome do autor no sistema e mostra a tela para a freguesa). Estes são os livros que temos (na tela, só os livros de Fernando Pessoa, e nenhum de seus heterônimos).

FREGUESA (desiste da missão): Obrigada.

(Freguesa vai até à estante de poesia, mas nada encontra. No meio do caminho, tropeça em uma mesa com todas as obras de Fernando Pessoa, inclusive os livros de seus heterônimos.)

3. MANUAL DO BOM LIVREIRO

[Pequeno] Manual Prático de Bons Modos em Livrarias [para Livreiros]

"Como já estive dos dois lados (freguesa e livreira), acho que o bom senso, a tolerância e a educação servem tanto para um, quanto para o outro. Antes de mais nada, saber se colocar no lugar de outra pessoa, dar o melhor de si e estimular o melhor do outro é saber agir como um ser humano que verdadeiramente vale a pena. E isso vale para tudo na vida."

Luciana Aragão Pereira, freguesa e ex-livreira

Sabemos que, dentro de uma livraria, o deslize é uma via de mão dupla. No caso da freguesia, é sempre uma alucinação ou um delírio, responsáveis por uma dor de cabeça aqui e uma fadiga ali. Da parte dos livreiros, são inúmeras as justificativas: inexperiência na área, acúmulo de funções, sobrecarga de tarefas, cansaço mental, baixa remuneração, más condições de trabalho ou, simplesmente, uma enorme e infinita preguiça. Preguiça de conhecer, entender, aprender, pensar, trabalhar, querer, viver, existir. Gente, tudo bem, *quem nunca* em um dia ruim?

Mas, em certos casos, dependendo do(a) livreiro(a), os problemas estruturais somados a essa preguiça monstro diária transformam-se em uma bola de neve tamanho XG de má educação e/ou má vontade. E, daí, como diria a Rita Lee: tudo vira bosta. A seguir, os oito mandamentos para nós, que somos super heróis disfarçados de livreiros:

1) Gostar de ler é fundamental: "Eu trabalho aqui, mas o único livro que li na vida foi a Bíblia para a catequese" ou "Não, moça, aqui não vendemos Vestido de Noiva [obra de Nelson Rodrigues], apenas livros, ou "Eu trabalho aqui, mas não costumo ler com frequência". De verdade, ouvir essas coisas soam aos ouvidos como "eu trabalho neste açougue, mas sou vegetariano" ou "sou enfermeira, mas tenho muito nojo de sangue". Saudades, coerência. Agora, falando sério, não é preciso ser formado em Letras e tampouco ter carteirinha de algum clube de intelectuais, mas gostar de ler, sim, é realmente necessário. E se você não gosta, deixa eu te contar um negócio que talvez você não saiba: existem vário sites que podem te ajudar a encontrar outro emprego. *Keep calm* e faça o que é melhor para você, para o freguês, para todos.

2) "Você já leu este livro?" "Já." "E este?" "Sim, muito bom." "Você já leu todos os livros daqui da livraria?" "Claro." "E os que não têm aqui?" "Também". Olha, tudo bem se você não leu determinado livro ou só tiver passado os olhos na orelha e na contracapa dele. Tudo errado mentir para o freguês, dizendo que a obra é isso ou aquilo sem ter lido uma crítica sequer do livro em questão.

3) "Você quer *Ulisses*, do Joyce. Mas isso é lançamento?": Outra vez, tudo bem, mesmo se os clássicos não te atraem, afinal, ninguém tem obrigação de ler aquilo que não gosta ou é do seu interesse, mas se você trabalha em uma livraria (seja por opção ou não) é obrigatório saber qual a diferença entre Gracilano Ramos e Guimarães Rosa ou entre Tolkien e Tolstói. De verdade, saber o básico já está ótimo!

4) Não sugerir o que está na moda: Legal mesmo é tentar fugir do óbvio, do lugar comum, da lista dos mais vendidos. Embora, às vezes, seja realmente isso o que a freguesia queira.

5) Não sabe o que o freguês está falando? Pergunte, oras: Bóra calçar as sandália da humildade? Se você não tem ideia do que o freguês está falando, pergun-

te, demonstre empenho – por mais que às vezes o assunto não seja do nosso interesse, é sempre bacana aprender algo novo.

6) "Querido livreiro do cabelo enroladinho, vê se olha com carinho pro nosso amor": É claro que na maior parte dos casos, a freguesia desperta na gente nossos instintos mais primitivos, mas tem aquela gente fina, elegante e sincera, que realmente sabe o que está falando e pode apenas estar com um probleminha de memória. Livreiros e livreiras, olhem para essa freguesia com mais carinho, ao menos, há uma tentativa da parte deles.

7) Não faça *cosplay* de chiclete: Se já é chato ficar com vendedor na sua cola em loja de roupa, imagine em uma livraria. Sim, em algumas lojas os livreiros são orientados a abordar o freguês, mas como bem disse certa vez o jornalista Leandro Fortes: "Só um estabelecimento que não entende nada de livros e, principalmente, de leitores, pode ser capaz de orientar seus empregados a interromper alguém que está consultando livros para perguntar se ele quer alguma ajuda.

8) Não finja que não viu o freguês: Ao circular pela livraria, não apresse o passo quando pressentir que um leitor está fazendo menção de pedir uma informação. Tente, pelo menos, desviar o olhar por uns segundos da tela do computador ou da prateleira que está arrumando.

Parte IV

Curiosidades livrescas

1. DÚVIDAS DA FREGUESIA

Como eu faço para encontrar um livro na livraria?

Se você quiser tentar sozinho, boa sorte, mas a coisa é mais simples do que parece, eu juro. Viu alguém de crachá ou uniforme? Então dirija-se à essa pessoa e peça auxílio. Nada de "oi, você trabalha aqui?" para quebrar o gelo. Um cordial cumprimento já é o suficiente. É importante lembrar que: gentileza gera gentileza e Carla Perez gera samba. Sim, o livreiro está lá pra isso mesmo, pra te ajudar e te amar, não necessariamente nessa ordem.

Mas eu cheguei na livraria sem o nome do autor, do livro, da editora, e agora?

Agora o livreiro senta e chora. Encontrar um livro sem qualquer tipo de informação sobre ele é quase impossível. E, não, saber só a cor da capa não ajuda em nada. Se você souber mais ou menos o enredo ou o tema do livro, podemos tentar ajudar, revirar as nossas memórias, essas coisas, mas, veja bem, nada de ficar bravo com o livreiro ou fazer cara feia, caso ele não consiga matar a charada.

Nunca entendo a maneira como as estantes são organizadas. Por que os livreiros não facilitam a vida do freguês?

A ideia é facilitar a vida de todo mundo: a nossa e a da freguesia. Organizamos as estantes pensando no que é melhor para o freguês na hora de comprar um livro. Quase sempre, as prateleiras estão organizadas por sobrenome de autor, mas isso varia conforme a livraria. O que acontece, também, é que todo freguês, particularmente, tem o seu "jeito ideal" de organização e manutenção. Infelizmente, não podemos agradar todos, mas nós tentamos, acreditem.

Às vezes eu quero saber a disponibilidade de um título e o livreiro me pergunta se eu tenho um tal de ISBN, o que é isso?

O ISBN (International Standard Book Number) é um sistema que identifica numericamente os livros segundo o título, o autor, o país e a editora. Ou seja, se você topar com algum livro e morrer de amores por ele, nem precisa anotar título, autor, nada, qualquer sistema de busca consegue localizar o livro que você procura tendo em mãos só o ISBN.

Quando o livro está esgotado, eu posso encomendar mesmo assim?

Não, de jeito nenhum. Livro esgotado é livro que nem a própria editora que o publicou tem mais para fornecer para as livrarias, sendo assim, impossível fazer encomenda.

Então quando o livreiro diz que está indisponível na livraria é porque está esgotado?

Não, vem cá comigo, deixa eu te explicar: se o livreiro falou que não tem no momento, que está indisponível, é porque todos os exemplares foram vendidos. Isso não significa que a editora não tenha mais pra fornecer. Livro esgotado é uma coisa, livro indisponível na livraria é outra. Entendeu ou quer que eu faça uma colagem? ☺

2. DOIS CAFÉS, DOIS AMORES COMPARTILHADOS E A CONTA, POR FAVOR

Lucimar Mutarelli é escritora; Diogo Machado é artista plástico. Hoje em dia, os dois podem ser encontrados em estantes de livrarias com seus respectivos trabalhos, mas, antes, eles se encontraram entre estantes, em uma livraria de São Paulo, onde trabalharam juntos como livreiros. O amor compartilhado pelos dois é o creme de milho verde aqui do livro.

[Livreiro x Cliente]
Amor compartilhado por Lucimar Mutarelli

A partir do momento em que fui convidada a escrever sobre minha experiência como livreira, logo vieram à minha cabeça as histórias mais engraçadas e escabrosas. Antes de relatá-las, queria deixar claro que existem clientes quase humanos, alguns até simpáticos e outros que se esforçam. Mas metade deles deveria ser obrigada a vender gelo de porta em porta.

A clássica:

Eu: Bom dia.

Cliente (passa direto, sem ao menos olhar pra você, ou já dispara, sem te cumprimentar): "Só vou dar uma olhada, não vou comprar nada".

Nas situações de ignorância completa é muito comum um colega, que presenciou a cena, retribuir ao seu cumprimento para te mostrar que você não está sozinho.

Eu atendendo dois clientes, ao mesmo tempo, situação muito comum nos sábados à tarde:

Cliente me aborda, gritando, com os dois braços levantados: "Aquele turco que ganhou o nobel???"

Eu paraliso e fico olhando pra ele durante uns três segundos até entender que ele estava me abordando daquela forma, que fez uma pergunta e queria a minha ajuda.

Ele continua andando pela loja e gritando: "Não se fazem mais livreiros como antigamente." (Até hoje, não consegui ler nada do Orhan Pamuk e creio que nunca vá conseguir).

Outra de um sábado lotado:

Cliente (uma dessas mulheres chiques que escrevem livros de etiqueta, dicas de moda e fino trato para ensinar os reles mortais) depois de ficar indignada porque o livro dela não estava exposto, se dirige à fila do caixa gritando com o livreiro que está no fundo da loja procurando o livro que ela solicitou: "Deixa, deixa. Não precisa mais. Pode deixar."

Eu: "Faça o que eu digo..."

***

CLIENTE: Esse novo do Chico é bom?

EU: Acabou de chegar, senhora, ainda não ouvi nenhum comentário.

CLIENTE: Ah, vou levar mesmo assim. Nem vou ler, mas tem que comprar né?

(Eu: Sem nenhum comentário inteligente para retribuir ao dela.)

***

EU: É um livro importado. Tenho que fazer o orçamento e passá-lo ao senhor.

CLIENTE: Faz a conta agora.

EU: Eu não tenho como saber, senhor.

CLIENTE: Faz a conta com o dólar de hoje mesmo.

EU: O procedimento não é esse, senhor. Eu preciso passar para o departamento responsável.

CLIENTE: Mas eu quero que você faça a conta agora.

(Nesse momento, eu e ele estamos muito vermelhos.)

EU: Posso passar um valor maior ou menor. Uma informação incorreta.

CLIENTE: Chama outro funcionário. Você é muito antipática.

Eu, querendo entrar embaixo da mesa, peço socorro a um colega que estava ao lado. Ele atende o cliente, explica o procedimento do orçamento da mesma forma e o cliente sorri, aceita a justificativa do meu colega e realiza a encomenda.

Ás vezes, o santo não bate. Acontece muito.

Essa é tão comum quanto o silêncio em resposta ao seu cumprimento, na loja:

CLIENTE: Eu queria um livro (risadinha camarada).

Prima dessa é aquela (quando a gente conta parece piada mas eu já fiz isso como cliente em outra livraria):

CLIENTE: Eu queria um livro, mas não sei o nome nem o autor. Acho que a capa é amarela. (A cor pode variar.)

Depois de conversar muito e usar todos os seus poderes místicos, você acaba chegando a algumas suposições. Na maioria das vezes, o cliente fica feliz e satisfeito porque você conseguiu localizar exatamente o livro que ele buscava: "Puxa... não tem nada de amarelo na capa." (Mais uma risadinha simpática.)

***

Minha primeira semana como livreira:

CLIENTE: Queria livros de 50 centímetros.

Eu, ainda fresca do treinamento onde aprendi que você não pode estranhar nenhum pedido, solicitei um minutinho ao cliente, peguei minha bolsa em busca de um chaveiro com uma trena acoplada e saí medindo todos os livros que encontrava pela frente. Ele levou todos que indiquei. Foi a minha melhor venda.

**

CLIENTE: Eu queria um livro branco.

EU: Algum assunto específico?

CLIENTE: Não. Ele só precisa ter a capa branca.

Depois de mostrar muitas sugestões, a própria cliente descobre um livro de fotos que com a sobrecapa removida é exatamente o que ela precisava.

EU: Esse livro tem umas fotos muito fortes. Tem cliente que acha ofensivo.

CLIENTE: Não importa. É só um enfeite para a mesa da sala. Ninguém vai abrir.

Outra bem comum quando você trabalha com livros de decoração:

CLIENTE: Eu quero livros que tenham a lombada bonita.

***

Outra ocorrência habitual que, com o tempo, me acostumei a atender:

CLIENTE: Preciso de um presente para uma pessoa muito, muito importante. Tem que ser algo incrível porque ela é muito viajada, rica, de bom gosto e já tem tudo.

Eu mostro os livros mais incríveis, maravilhosos e indicados para quem viaja muito, é rico, tem bom gosto e já tem tudo.

CLIENTE: Esse é maravilhoso. Quanto custa?

EU: R$ 2.500,00. (O valor também varia.)

CLIENTE: Também não é pra tanto...

***

Apesar desses pequenos traumas, trabalhar como livreira foi uma experiência fantástica.

Minha pretensão como professora era ensinar tudo que eu sabia. Ilusão. Aprendi muito mais do que ensinei.

Ser livreiro parte do mesmo princípio: você aprende com as dúvidas.

[Tirem as Crianças da Sala]

Amor compartilhado por Diogo Machado

Meu PRIMEIRO DIA como livreiro. A loja estava lotada por conta de um lançamento no fundo da livraria e eu, novato sorridente, caminhava pela loja para me familiarizar com o ambiente, conhecer os setores etc. Ao passar perto da seção de Fotografia, um senhor de aproximadamente 50 tons de anos me chama:

FREGUÊS: Mocinho, mocinho, por favor.

(Já começa aí, né: mocinho?)

– Quê?

– Sobre o que é esse livro? – O cliente mostrando o THE BIG PENIS BOOK.

(Começo a tremer, obviamente, porque, né, oi, é um livro de PAU GRANDE, SENHOR.)

– Então, é um livro assim, meio engraçado (engraçado), de fotografias de homens que têm.. ahm, digamos: homens avantajados (avantajados), sabe? Tem também o dos seios e vai sair o da bunda.

– NOSSA, achei incrível.

A partir daí, o senhor começou a falar sobre a admiração que ele estava sentindo ao ver tal livro, como tudo parecia ser surreal e como ele duvidava que aquele bando de pinto era verdadeiro. Achei melhor me afastar, mas o freguês sempre me chamava, apontando algum DETALHE que ele havia achado interessante. "Esse aqui equivale a um fist fucking, não acha?"

Resumindo, o sujeito virava uma taça de vinho atrás de outra e ficava me rodeando. Quando a loja acalmou, ele chegou em mim e disse que tinha gostado da minha camisa e tentou, SIM, EU JURO, abrir um botão. Pronto, daí eu surtei, saí correndo e comentei com uma amiga livreira:

– TEM UM CARA ME ASSEDIANDO, HELP!!!

Mas, como eu era novato, ninguém deu bola. Eu me afastei do cara novamente e subi para o mezanino, que é onde ficam os banheiros. Fiquei por um tempo lá, pra ver se o sujeito ia embora e, quando resolvo descer de volta, bingo: lá está o senhorzinho, na porta do banheiro, com o BILAU de fora, me chamando.

– Vem cá, vem.

Sim, o cara mostrou o pinto pra mim na livraria. Resultado: TRAUMA. Outros episódios parecidos se repetiram, incontáveis vezes, na minha vida de livreiro. Teve um homem casado que queria sair comigo porque a esposa dele "não fazia direito", e um cara que fingiu encomendar um livro só pra eu anotar meu telefone no papel pra ele me ligar depois.

Parte V

Serviço

1. ENDEREÇOS DE SEBOS E LIVRARIAS

SUDESTE

Beta de Aquarius

Jazz baixo o suficiente para se ler, alto o suficiente para ajudar na viagem, cheiro de livros e alguns gatos de vez em quando perambulando pelo lugar.

Endereço: Rua Buarque de Macedo, 72 – Catete, Rio de Janeiro – RJ

Telefone: (21) 2556-1213

Site: www.betadeaquarius.com.br

Café com Letras

Está na história cultural de Belo Horizonte desde 1996. De lá para cá, vários eventos foram realizados colocando o espaço como um local onde amantes de eventos culturais em geral podem se encontrar.

Endereço: Rua Antônio de Albuquerque, 781 – Savassi, Belo Horizonte – MG

Telefone: (31) 3225-9973

Site: www.cafecomletras.com.br

Floriano – Livraria e Café

São mais de 12.000 livros espalhados nas prateleiras para encontros inesperados com histórias surpreendentes, personagens curiosos e lugares mágicos.

Endereço: Av. Consul Antônio Cadar, 147 – Belo Horizonte – MG

Telefone: (31) 2526-4180

E-mail: contato@floriano.li

Livraria Calil Antiquária

Há mais de 40 anos, a Livraria Calil, o mais antigo sebo da cidade de São Paulo, oferece aos seus fregueses um acervo com mais de 450 mil títulos nas áreas de humanas, em sua maioria relacionados ao Brasil.

Endereço: Rua Barão de Itapetininga, 88 – 9 andar – Centro, São Paulo –SP

Telefone: (11) 3255-0075

Site: www.livrariacalil.com.br

Livraria Point HQ

Especializada em quadrinhos, tem como principal objetivo atender a todo tipo de colecionador.

Endereço: Rua Visconde de Pirajá, 207 – Ipanema, Rio de Janeiro – RJ

Telefone: (21) 3442-2208

Site: www.pointhq.com.br

Livraria Al-Farabi

Sebo, arte, café e restaurante. Al-Farabi reúne boa comida, diversão, boemia e o melhor da literatura.

Endereço: Rua do Rosário, 30 – Centro, Rio de Janeiro – RJ

Telefone: (21) 2233-0879

Site: www.alfarabi.com.br

Set Palavras

Charmosa livraria e videoclube traz, além de livros, clássicos e novidades em DVDs e CDs. Lugar ideal para saborear um café, ficar por dentro das novidades e ainda prestigiar o melhor do cinema mundial.

Endereço: Rua Getúlio Vargas, 239 – Rosário, Ouro Preto – MG

Telefone: (31) 3551-7541

Livraria Gourmet

Gosta de cozinhar e tem dificuldades de encontrar livros de Gastronomia? A Livraria Gourmet conta com um acervo completo e diversificado sobre o assunto, além de realizar diversos cursos e eventos gastronômicos.

Endereço: Rua Augusta, 2524, Loja 8 – Cerqueira César, São Paulo – SP

Telefone: (11) 3062-6454

Site: www.livrariagourmet.com.br

Livraria e Sebo Antônio Gramsci

Jornalistas, professores, estudantes e militantes de diversas áreas já têm um ponto de encontro no centro do Rio. É a Livraria Antonio Gramsci, inaugurada pelo Núcleo Piratininga de Comunicação (NPC).

Endereço: Rua Alcindo Guanabara, 17 – Centro, Rio de Janeiro – RJ

Telefone: (21) 2220-5618

Site: www.piratininga.org.br

Tertúlia Sebo e Café

Tertúlia pode significar reunião artística ou literária, familiar. E é exatamente o que acontece nesse espaço cultural tão charmoso. Quem entra, não é só um cliente – é amigo!

Endereço: Rua Capitão Antônio Rosa, 454

Telefone: (11) 3061-2749

Site: www.tertuliaseboecafe.wordpress.com

Realejo Livros

Uma livraria que também é editora, uma editora que também tem livraria, com música ao vivo, tardes de autógrafos, café, cerveja, pão de mel e um livreiro que realmente entende do assunto – tudo a uma quadra da praia, na charmosa cidade de Santos.

Endereço: Av. Marechal Deodoro, 2 – Centro, Santos – SP

Telefone: (13) 3289-4935

Site: www.realejolivros.com.br

Suburbano Convicto

Alexandre Buzzo, ex-colaborador da extinta revista *Rap Brasil*, é o responsável por manter a única livraria do país especializada em Literatura Marginal. Entrega para todo o Brasil.

Endereço: Rua 13 de Maio, 70 – Centro, São Paulo – SP

Site: www.suburbanoconvicto.blogspot.com

CENTRO-OESTE

Livraria Sebo Hocus Pocus

Uma livraria de livros novos e usados. Suba a escada.

Endereço: Av. Araguaia, 959 – Centro, Goiânia – GO

Telefone: (62) 3087-6652

Site: www.hocus2.com.br

SUL

Arcádia Livraria e Eventos

Instalada em um casarão do início do século XX, abriga livraria de usados e independentes, galeria de exposições, salas para eventos e salas de aula.

Endereço: Rua 13 de Maio, 601/611 – Centro, Curitiba – PR

Telefone: (41) 3223-2880

Site: www.arcadialivraria.com.br

Aroma Literário

Aroma, sabores, cultura e bons momentos. Visite a livraria e tente resistir ao café da casa.

Endereço: Av. Osvaldo Aranha, 378 – Canela – RS

Telefone: (54) 3282-0645

Arte e Letra

Livros bons, fáceis e difíceis de encontrar estão na Arte e Letra. Além do café da livraria, você pode aproveitar a visita e conhecer o jardim do lugar.

Endereço: Alameda Presidente Taunay, 130, Batel – Curitiba – PR

Telefone: (41) 3039-689

Site: www.arteeletra.com.br

Bamboletras

Localizada no centro de Porto Alegre, a pequena e acolhedora Bamboletras vai na contramão das megastores e mantêm em seu acervo não best-sellers, mas livros escolhidos a dedo por todos os seus funcionários, amantes da boa literatura.

Endereço: Rua General Lima e Silva, 776, Loja 03 – Cidade Baixa, Porto Alegre – RS

Telefone: (51) 3221-8764

E-mail: livraria@bamboletras.com.br

Erdos

Uma livraria que trabalha com teologia, devocionais, pedagógicos e filosóficos das principais editoras do Brasil, com ótimos preços para atacado e varejo.

Endereço: Rua Tiribinha, 51 – Jardim Mônaco, Arapongas – PR

Telefone: (43) 3274-6698 / 3276-2859

Site: www.erdos.com.br

Livraria Café Conceito

Na Livraria Café Conceito você encontra livros, cursos, palestras, exposições, grupos de leituras, poesia, contos, espaço infantil e, claro, um bom café para acompanhar isso tudo.

Endereço: Rua Madre Verônica, 230, Loja 2 – Gramado – RS

Telefone: (54) 3286-4692

Site: www.livrariacafeconceito.com.br

Livraria Navegadores

Funciona como um espaço literário infantojuvenil. A livraria pretende aproximar escritores, ilustradores e educadores dos países de língua portuguesa através da partilha de conhecimentos e experiências.

Endereço: Rua Coronel Dulcídio, 540, Loja B – Curitiba – PR

Telefone: (41) 3222-4797

Site: www.livrarianavegadores.com.br

Palavraria

É um espaço idealizado para que os leitores convivam confortavelmente com as ideias, os sentimentos e as emoções do livro. Ambientes aconchegantes permitem uma interação calorosa entre leitor e livro.

Endereço: Rua Vasco da Gama, 165, Centro, Porto Alegre – RS

Telefone: (51) 3268-4260

Site: www.palavraria.wordpress.com

NORDESTE

Poeme-Se

Uma livraria que tem história não só nas estantes, mas em suas paredes também. A Poeme-Se tem uma arquitetura que remete aos antigos casarões do fim do século XIX e é um lugar ideal para quem gosta de apreciar bons livros e páginas amareladas (mas bem conservadas).

Endereço: Rua Sol, 41 – Centro, São Luís – MA
Telefone: (98) 3221-1869

Vila7

Inaugurada em 2011, a loja trabalha marcas nacionais e internacionais de brinquedos e jogos, premiadas mundialmente. Na sessão de livros, uma seleção com mais de 20 catálogos de editoras, somando, ao todo, mais de 5 mil títulos, todos voltados para o mundo infantil.

Endereço: Rua Prof. José Brandão, 163 – Boa Viagem, Recife – PE

Telefone: (81) 3326-3818

Site: www.familiavila7.com.br

NORTE

Livraria Fox de Belém

Oferecer entretenimento com profissionalismo e emoção é o objeto da livraria, que também funciona como locadora de DVDs, Games e Blu-Rays.

Endereço: Dr. Moraes, 584 – Centro, Belém – PA
Telefone: (91) 4008-0007

PotyLivros

Fundada em 1978, a livraria, distribuidora e papelaria conta com 7 lojas nas cidades de Natal e Mossoró. Atua com livros em todas as áreas do conhecimento, inclusive didáticos e paradidáticos.

Endereço: Rua Felipe Camarão, 609 – Natal – RN

Telefone: (84) 3203-2626

Site: www.potylivros.com.br

NA INTERNET

Livraria Náutica

Uma livraria para quem é apaixonado pela natureza e, principalmente, pelo mar. O foco da loja são livros e artigos náuticos.

Endereço: www.livrarianautica.com.br

Livraria Odontosites

Quem procura livros de odontologia sabe como é difícil encontrá-los. Pensando nisso, foi criada a Livraria OdontoSites, especializada em títulos sobre o assunto.

Endereço: www.livrariaodontosites.com.br

Livraria LMP

Fundada em junho de 2005, a LMP destaca-se no segmento de livros da área da Saúde.

Endereço: www.lmpeditora.com.br

2. SITES E BLOGS DEDICADOS A LIVROS

BiblioBazar
Acessórios criativos para bibliotecários e apaixonados por livros. www.bibliobazar.com.br

Blog da Editora
Raquel Toledo reúne em seu simpático blog histórias do mundo dos livros.
www.blogdaeditora.wordpress.com

Blog das Letras
Blog da livraria Letras&Cia. Dicas, notícias, entrevistas e muito mais sobre literatura.
www.blogdasletras.com.br

Clarice e Elisa Lispector
Um blog dedicado a Clarice Lispector e também a sua irmã, Elisa Lispector. Escrito por José Antônio Barreiros.
www.haialispector.blogspot.com.br/

Cronista Amadora
Além de transmitir sua visão poética do mundo através de deliciosas crônicas, a livreira Nina Vieira

escreve sobre a profissão e faz resenhas do que anda lendo no ótimo "Cronista Amadora".
http://www.cronistaamadora.wordpress.com.br

Eu Te Dedico
O tumblr disponibiliza uma coletânea de dedicatórias encontradas em livros. As coordenadas para colaborar estão disponíveis no site.
http://eutededico.tumblr.com

Escrivaninha Literária
Blog especializado em leitura e livros dos mais diversos gêneros literários.
www.escrivaninhaliteraria.com.br

Estante Virtual
A Estante Virtual reúne o acervo de sebos e livreiros de todo o Brasil. São milhões de títulos seminovos, usados e raros a preços acessíveis.
www.estantevirtual.com.br

FreeBook Sifter
Organizados de acordo com o tema e idioma, o site reúne todos os livros eletrônicos gratuitos da Amazon.
www.freebooksifter.com

Grifei Num Livro
O site é um projeto colaborativo, que reúne imagens enviadas de trechos grifados por leitores de livros diversos. Para participar, basta enviar seus grifos ou sugestões para grifeinumlivro@gmail.com
http://grifeinumlivro.tumblr.com

Google Poetics
Site criado para divulgar a poesia feita através da busca do Google.
www.googlepoetics.com

Literary Jukebox
Diariamente, o site é atualizado com o trecho de algum livro acompanhado por uma trilha sonora.
www.literayjukebox.brainpicking.org

Livros Difíceis
Está difícil encontrar aquele livro esgotado ou raro? Seus problemas acabaram! Basta entrar em contato com a equipe do **Livros Difíceis** e eles procurarão o título solicitado em bibliotecas particulares, internet e leilões, tudo sem custo adicional.
www.livrosdificeis.com.br

Livros, Livrarias e Livreiros
Tem por objetivo trocar ideias sobre livros, leitura, livrarias físicas, livrarias virtuais e formação de livreiros.
www.livroslivrariaselivreiros.blogspot.com

Livros e Pessoas
Projeto de incentivo à leitura do jornalista e blogueiro Sérgio Pavarini.
www.livrosepessoas.com

Luzme
É uma ferramenta de busca que, além de pesquisar a disponibilidade de livros eletrônicos em diferentes plataformas, compara os preços do mesmo.
www.luzme.com

Mundo Livro
O editor de livros do Zero Hora, Carlos André, compartilha com os seus leitores informações, comentários, curiosidades e outros pitacos sobre o mundo dos livros e da leitura.
www.zerohora.com/mundolivro

Não Gosto de Plágio
Blog contra o plágio na tradução literária, mantido pela tradutora Denise Bottmann.
www.naogostodeplagio.blogspot.com.br

Projecto Adamastor
Projeto que dá acesso gratuito à uma biblioteca digital de obras literárias que já se encontram em domínio público.
www.projectoadamastor.org

O Vendedor de Livros
Além de escrever sobre profissão de livreiro, Wellington publica resenhas de livros, dá dicas de leitura, notícias sobre o mercado editorial e, sem esquecer da freguesia, relata alguns casos engraçados envolvendo a clientela.
www.ovendedordelivros.com.br

Sebo Carioca
Um guia virtual com os endereços dos melhores sebos da cidade do Rio de Janeiro. Só não esqueça de ligar para o sebo antes de visitá-lo para não correr o risco de encontrá-lo fechado.
www.sebocarioca.blogspot.com

Skoob – O que você anda lendo
O Skoob é a primeira rede social brasileira voltada, principalmente, para quem gosta de ler. Além da interação com outras pessoas, o usuário pode criar listas e mostrar o que leu, o que está lendo e o que pretende ler.
www.skoob.com.br

Set Palavras
O blog da livraria Set Palavras traz informações sobre filmes, livros, cultura pop e tecnologia.
www.setpalavras.com.br

Trocando Livros
Site criado para facilitar a troca de livros entre pessoas de todo o Brasil.
www.trocandolivros.com.br

What was the Book (site em inglês)
Site que ajuda os leitores a lembrarem o nome daquele livro que ele só sabe a cor da capa. Funciona assim: você conta um pouquinho da história do livro e os outros usuários te ajudam na missão! Ótima ferramenta para livreiros, bibliotecários e leitores.
whatwasthatbook.livejournal.com/

3. THE BOOKS ARE ON THE BOOKS

Agora que você já é um freguês especialista na arte de frequentar sebos e livrarias, deixo aqui uma lista com alguns dos títulos mais bacanas sobre: livros, esses malditos; livreiros, esses chapeleiros malucos; e, claro, livrarias, esses paraísos borginianos*. E se decidir comprar ou dar uma espiada em algum deles na livraria mais próxima, nada de esquecer o título em casa.

501 GRANDES ESCRITORES – Julian Patrick
Sextante, 2010
Apresentados em ordem cronológica, os 501 autores formam um painel do desenvolvimento da literatura ao longo de mais de dois milênios de história. Foram inseridos 24 nomes de autores brasileiros, além dos três que já apareciam na edição inglesa.

ARTE DO INVISÍVEL, A – Plínio Martins Filho
Ateliê Editorial, 2008
O que faz um livro mais bonito ou mais fácil de ler? Essas e outras questões são abordadas em *A Arte do Invisível*, obra que reúne uma série de citações de especialistas sobre o design e a edição de livros.

AVENTURA DO LIVRO, A – Roger Chartier
Unesp, 1998
Roger Chartier, professor e especialista em História da Leitura, reconstrói a história do livro, desde seu início na Antiguidade até a era da navegação na internet.

ERA UMA VEZ UMA CAPA – Alan Powers
CosacNaify, 2008
Além de discutir a evolução da produção editorial e as técnicas de impressão, o livro destaca os principais ilustradores, autores e editores que contribuíram para mudar a história do livro para crianças.

COMO FALAR DOS LIVROS QUE NÃO LEMOS
– Pierre Bayard
Objetiva, 2007
Neste ensaio, Pierre Bayard trata uma questão comum no dia a dia (de livreiros e bibliotecários, principalmente) – como falar dos livros que não lemos?

EX-LIBRES – CONFISSÕES DE UMA LEITORA COMUM – Anne Fadiman
Zahar, 2002
Transitando com facilidade entre anedotas sobre escritores e episódios de sua família "patologicamente" literária, Anne Fadiman oferece ao leitor um relato sobre bibliofilia.

GUIA DE LEITURA: 100 AUTORES QUE VOCÊ PRECISA LER – Lea Masina
L&PM, 2007
Neste guia, o leitor poderá encontrar um breve texto sobre a vida dos principais autores estrangeiros e brasileiros, uma relação de diferentes títulos por autor, além de um ensaio escrito por críticos literários, jornalistas, escritores e professores.

GUIA DE SEBOS – Antônio Carlos Secchin
Lexikon, 2007
Uma lista de sebos pelo Brasil contendo os principais estados de grande porte como: São Paulo, Rio de Janeiro, Belo Horizonte, Brasília, Curitiba, Porto Alegre e muitos outros.

HISTÓRIA DAS LIVRARIAS CARIOCAS –Ubiratan Machado
Edusp, 2012

Esta obra procura abranger um período de mais de três séculos e meio, do início tímido do comércio de livros na cidade até as modernas livrarias. Entre estes extremos, viveram e prosperaram algumas das principais livrarias brasileiras, e centenas de outras casas que, durante mais de cem anos, garantiram o Rio de Janeiro como o maior mercado livreiro e o principal polo cultural do país.

LEITOR APAIXONADO, UM – Ruy Castro
Companhia dos Livros, 2009

Coletânea de artigos escritos originalmente para a imprensa e selecionados por Heloisa Seixas, mas retrabalhados para este livro pelo próprio Ruy Castro. Por ele desfilam tanto os grandes nomes da literatura, como autores de quem você talvez nunca tenha ouvido falar.

LIVRO POR DIA, UM – Jeremy Mercer
Casa da Palavra, 2007
Com pouco dinheiro no bolso, Jeremy Mercer partiu para a França. Um dia aceitou o convite de uma balconista da Shakespeare and Company para uma xícara de chá. Descobriu que poderia dormir e viver na livraria em troca de prestar serviços diários no local. Porém fazia parte do trabalho ler, pelo menos, um livro por dia.

PAIXÃO PELOS LIVROS, A – Julio Silveira e Marta Ribas (Org.)
Casa da Palavra, 2007
Contos, crônicas e depoimentos de quem achou no livro seu paraíso particular e na leitura uma forma de abstrair-se das dores do mundo para nele encontrar algum sentido. Nesta antologia, autores de diversas épocas e diversas origens, através de histórias, verídicas ou não, retratam uma História do mundo. Uma História do mundo com livros e pelos livros.

PEQUENO GUIA HISTÓRICO DAS LIVRARIAS BRASILEIRAS – Ubiratan Machado
Ateliê Editorial, 2009
Este *Pequeno guia histórico das livrarias brasileiras* traz um passeio de três séculos e meio pela história

das livrarias brasileiras, com direito a visita guiada a cem das maiores lojas de livros do país, em todos os tempos e regiões.

SHAKESPEARE AND COMPANY: UMA LIVRARIA NA PARIS DO ENTRE-GUERRAS – Sylvia Beach.
Casa da Palavra, 2004
Autobiografia da livreira Sylvia Beach, editora e escritora que, em 1919, abriu uma livraria numa ruela da Rive Gauche, que se tornou o epicentro da agitação cultural dos anos 1920 e 30. Grandes escritores e personalidades do cinema e da música fizeram da Shakespeare and Company o endereço da criatividade no período entre as duas guerras mundiais.

*É conhecida e compartilhada à exaustão a frase "Sempre imaginei que o paraíso fosse uma espécie de livraria", de Jorge Luis Borges. Entretanto, o que o escritor argentino realmente escreveu em um dos textos do livro *Sete Noites* foi: "Sempre imaginei que o paraíso fosse uma espécie de biblioteca." E, como sabemos, livraria é uma coisa e biblioteca é outra, embora atraiam o mesmo tipo de delírio livresco.

AGRADECIMENTOS

Muita gente bonita, plugada e com a higiene bucal em dia colaborou não só com o nascimento do [**Manual Prático de Bons Modos em Livrarias, o livro**], como também com a sua gestação tão complicada e cheia de cuidados; gente que inúmeras vezes pegou na mão da livreira e a colocou de volta nos trilhos para que tudo desse certo no final (e deu, acho).

Sou imensamente grata aos amigos feitos naquela grande livraria de São Paulo. Durante três anos uma trupe insana, formada pelos melhores livreiros-colegas de trabalho que alguém um dia poderia sonhar em ter, foi minha verdadeira família. Obrigada (a plenos pulmões), Ricardo Silva, Deniz Adriana, Flávia Santos, Amanda Marques, Michele Cafaldo, Hesly Silva, Juliana Puccini, Guilherme Donadio, Thiago Oliveira, Rafael Furtado, Carolina Oliva, Larissa Oliveira, Renatha Barbosa, Marcos Augusto, Diego Dias, Rodrigo Nunes Cardoso, Felipe Brandão e Flávia Baião, sem vocês, a Hillé Puonto nunca teria existido.

Obrigada, também, Priscila Rezende, Caju Bezerra e Leonardo Mendes.

Não poderia deixar de agradecer às arrobas do Twitter por todo apoio involuntário durante as madrugadas insones (beijo, @sourainha, @pedromoraes e todo #TDM), aos jornalistas, editores, escritores e blogueiros, que espalharam e continuam espalhando o endereço do [manual] feito peste por aí. Também não poderia deixar de agradecer, do fundo do meu músculo cardíaco, aos fregueses, divinos maravilhosos, que são capazes de transformar o dia comum de qualquer livreiro em um capítulo de *Alice no País das Maravilhas*.

É isso. Devo uma paçoca a todos que contribuíram de alguma forma, direta ou indiretamente com o projeto, compartilhando causos, histórias, diálogos, dinheiro, cigarros, livros, cerveja, empada de palmito, e, claro, amor. Muito, amor.

Hillé Puonto
ou Lilian Dorea

Conheça outros títulos da editora em:
www.editoraseoman.com.br